21世纪高等继续教育精品教材

《微积分》
习 题 集

主 编 李林曙

副主编 赵 坚 陈卫宏

中国人民大学出版社

目　录

第1章 一些常见的函数

一、本章主要内容

(一) 主要概念

1. 函数的概念:

定义 1.1 设 x,y 是两个变量，x 的变域为 D，如果存在一个对应规则 f，使得对 D 内的每一个 x 值都有惟一的 y 值与 x 对应，则这个对应规则 f 称为定义在集合 D 上的一个**函数**，并将由对应规则 f 所确定的 x 与 y 之间的对应关系记为

$$y = f(x)$$

称 x 为**自变量**，y 为**因变量**或**函数值**，D 为**定义域**.

2. 函数 $y = f(x)$ 的单调性:

定义 1.2 设函数 $y = f(x)$ 的定义域为 D，若对于 D 内任意的 x_1, x_2，如果 $x_1 < x_2$，就有

$$f(x_1) < f(x_2)$$

则称函数 $y = f(x)$ 在 D 内是**单调增加**的. 如果 $x_1 < x_2$，就有

$$f(x_1) > f(x_2)$$

则称函数 $y = f(x)$ 在 D 内是**单调减少**的.

3. 复合函数:

定义 1.3 若函数 $y = f(u)$ 的定义域为 U，而函数 $u = \varphi(x)$ 的定义域为 X，且 $u = \varphi(x)$ 的值域包含在 U 中，则对 X 中的任意的 x，通过 u 有惟一的 y 与之对应，即 y 是 x 的函数，记为

$$y = f[\varphi(x)]$$

这种函数称为**复合函数**，其中 u 称为**中间变量**.

4. 常见的函数:

常数函数 $\qquad\qquad y = C$

幂函数 $\qquad\qquad y = x^a$，a 为实数

$\quad$ 多项式函数 $\qquad y = a_0 x^n + a_1 x^{n-1} + \cdots + a_{n-1} x + a_n$，$\quad a_0 \neq 0$

$\quad$ 一次函数 $\qquad\quad y = ax + b$，$\quad a \neq 0$

$\quad$ 二次函数 $\qquad\quad y = ax^2 + bx + c$，$\quad a \neq 0$

指数函数 $\qquad\qquad y = a^x$，$\quad a > 0, a \neq 1$

对数函数 $\qquad\qquad y = \log_a x$，$\quad a > 0, a \neq 1$

需求函数

供给函数

成本函数	$C(q) = C_0 + C_1(q)$
平均成本	$\overline{C}(q) = \dfrac{C(q)}{q}$
收入函数	$R(q) = q \cdot p(q)$
平均收入	$\overline{R}(q) = \dfrac{R(q)}{q}$
利润函数	$L(q) = R(q) - C(q)$
平均利润	$\overline{L}(q) = \dfrac{L(q)}{q}$

(二) 主要公式

定期存款利息：$i = pnr(1 - 20\%)$

自动转存利息：$i = p[(1 + nr)^{m+1} - 1](1 - 20\%)$

等额本息还贷：$s = \dfrac{pr(1 + r)^m}{(1 + r)^m - 1}$

等额本金还贷：$s_n = \dfrac{p}{m} + [p - (n-1)\dfrac{p}{m}]r$

二、解题方法

求函数的定义域：

初等函数的定义域需要满足以下几个条件：

(1) 分式中的分母的表达式不为零；

(2) 根式中，偶次根号下的表达式非负；

(3) 对数中的真数的表达式大于零.

如果函数是若干个表达式的代数和的形式，那么先求使每一个表达式有意义的 x 所构成的集合，求出所有表达式所对应的这样的集合后，取它们的交集，这个交集就是所求函数的定义域.

三、例题解析

例 1 求下列函数的定义域：

(1) $f(x) = \lg(3 - x) + \sqrt{16 - x^2}$；   (2) $f(x) = \begin{cases} e^x, & -4 < x \leqslant 0, \\ \dfrac{1}{x}, & 0 < x < 4. \end{cases}$

[**分析**]　(1) 函数由两项 $\lg(3 - x)$ 与 $\sqrt{16 - x^2}$ 的和构成，按照前面提到的要求，先求使每项表达式有意义的 x 的集合，然后求这两个集合的交集便得到所求函数的定义域.(2) 函数在两个区间 $(-4, 0]$ 和 $(0, 4)$ 上由不同的表达式给出，取这两个区间的并集便得到所求函数的定义域.

解　(1) 对于 $\lg(3-x)$,要求 $3-x>0$,即 $x<3$.

对于 $\sqrt{16-x^2}$,要求 $16-x^2 \geqslant 0$,即 $x^2 \leqslant 16$,它等价于 $|x| \leqslant 4$,即 $-4 \leqslant x \leqslant 4$.
取两个集合的交集,得所求函数的定义域为

$$(-\infty,3) \bigcap [-4,4] = [-4,3).$$

(2) 两个分段区间是 $(-4,0)$ 和 $(0,4)$,取它们的并集得所求函数的定义域为 $(-4,4)$.

例 2　已知函数 $f(x+1) = x^2+4x-3$,求 $f(x)$,$f\left(\dfrac{1}{x}\right)$,$f(0)$ 及 $f(1)$.

[**分析**]　本题可用两种不同的方法解.

方法一:按函数表达式的定义,对于任意自变量 x,进行如下运算:

$$f((\quad)+1) = (\quad)^2+4 \times (\quad)-3$$

其中等式两端的小括号内的 x 可用任一数值或有意义的表达式代入.

方法二:将 $x+1$ 看作一个固定的变量,即作变量替换 $x+1=t$,这样得 $x=t-1$,从而直接得出函数 $f(x)$ 的表达式,然后再进行有关计算.

解　方法一:已知函数的运算关系为

$$f((\quad)+1) = (\quad)^2+4 \times (\quad)-3$$

将 $x-1$ 代入上式两端的小括号内得

$$\begin{aligned}
f(x) &= (x-1)^2+4(x-1)-3 \\
&= x^2-2x+1+4x-4-3 \\
&= x^2+2x-6
\end{aligned}$$

即　　　　$f(x) = x^2+2x-6$

直接利用 $f(x)$ 的表达式通过计算得

$$\begin{aligned}
f\left(\frac{1}{x}\right) &= \left(\frac{1}{x}\right)^2+2\left(\frac{1}{x}\right)-6 \\
&= \frac{1}{x^2}+\frac{2}{x}-6 \\
&= \frac{1+2x-6x^2}{x^2}
\end{aligned}$$

$$f(0) = 0^2+2 \times 0-6 = -6$$
$$f(1) = 1^2+2 \times 1-6 = -3$$

方法二:作变量替换 $x+1=t$,得 $x=t-1$,将其代入函数表达式两端得

$$\begin{aligned}
f(t) &= (t-1)^2+4(t-1)-3 \\
&= t^2-2t+1+4t-4-3 \\
&= t^2+2t-6
\end{aligned}$$

因函数关系与表示自变量的符号无关,故由上式得

$$f(x) = x^2+2x-6$$

后面的做法同方法一,分别得出

$$f\left(\frac{1}{x}\right) = \frac{1+2x-6x^2}{x^2}, f(0) = -6, f(1) = -3$$

例 3 判断函数 $f(x) = \log_{0.5}(x^2+1)$ 的单调性.

[分析] 判断函数的单调性,主要是利用单调性的定义,再结合基本初等函数的性质,还可以利用函数的奇偶性.

解 易知函数 $f(x) = \log_{0.5}(x^2+1)$ 为偶函数,偶函数的图形关于 y 轴对称,故只需讨论 $x > 0$ 时函数的单调性.

对于任意 $x_1 > x_2 > 0$,有

$$x_1^2 + 1 > x_2^2 + 1$$

因为对数的底数 0.5 小于 1,由对数函数的性质可知

$$\log_{0.5}(x_1^2+1) < \log_{0.5}(x_2^2+1)$$

即

$$f(x_1) < f(x_2)$$

由单调性的定义可知,当 $x > 0$ 时,$f(x) = \log_{0.5}(x^2+1)$ 是单调减函数.再由偶函数的性质可知,当 $x < 0$ 时,$f(x) = \log_{0.5}(x^2+1)$ 是单调增函数.

因此函数 $f(x) = \log_{0.5}(x^2+1)$ 在 $(-\infty, 0)$ 上单调增加,在 $(0, +\infty)$ 上单调减少.

例 4 将下列初等函数分解为基本初等函数的四则运算或复合运算:

(1) $y = \ln 5^{\sqrt{x^2+1}}$;　(2) $y = e^{x^2} \ln^2 x$.

[分析] 因为初等函数是由基本初等函数经过有限次加、减、乘、除或复合而得,所以任意一个初等函数都可以分解为基本初等函数的四则运算或复合运算.方法是先从最外层考察,如果是四则运算,就将运算的每一项设为一个中间变量,然后再考察每个中间变量;如果不是四则运算,那么最外层就是某类基本初等函数,此时将这个基本初等函数自变量位置处的表达式设为一个中间变量,然后再考察这个中间变量.将这种方法向内层反复使用.

解 (1) $y = \ln u$

　　$u = 5^v$

　　$v = \sqrt{w}$

　　$w = x^2 + 1$

其中,y, u, v 分别作为中间变量 u, v, w 的函数,都是基本初等函数,而 w 是幂函数 x^2 与常数函数 1 的和.

(2) $y = e^u v^2$

　　$u = x^2$

　　$v = \ln x$

y 是指数函数 e^u 和幂函数 v^2 的乘积,u, v 为中间变量.

例 5 某种产品的需求函数为

$$q_d = 100 - 2p$$

供给函数为

$$q_s = 10p - 8$$

求该产品的市场均衡价格和市场均衡数量.

[分析]　将需求函数和供给函数的表达式看作两个方程,再利用均衡条件$q_d = q_s$,得到一个三元一次方程组

$$\begin{cases} q_d = 100 - 2p \\ q_s = 10p - 8 \\ q_d = q_s \end{cases}$$

解此方程组得出的 $p = p_0$,即为市场均衡价格,$q_d = q_s = q_0$,即为市场均衡数量.

解　由

$$100 - 2p = 10p - 8$$

移项整理得

$$12p = 108$$

故　　$p_0 = 9$

∵　$q_0 = 100 - 2p_0$

∴　$q_0 = 82$

即该产品的市场均衡价格为 9,市场均衡数量为 82.

例 6　已知生产某种产品的成本函数为

$$C(q) = 80 + 2q$$

试求生产该产品的固定成本,并求当产量 q 为 50 时的平均成本.

[分析]　成本函数由固定成本和可变成本两部分组成,其函数表达式中的常数项就是固定成本.总成本除以总产量便得到平均成本.

解　固定成本就是当产量为零时的总成本,设为 C_0,有

$$C_0 = C(0) = 80$$

∵　平均成本为

$$\bar{C} = \frac{C(q)}{q}$$

∴　$\bar{C}(50) = \dfrac{C(50)}{50}$

$$= \frac{80 + 2 \times 50}{50} = 3.6$$

即生产该产品的固定成本为 80,当产量 q 为 50 时的平均成本为 3.6.

例 7　已知某厂生产某种产品的成本函数为

$$C(q) = 500 + 2q(元)$$

其中 q 为该产品的产量,如果该产品的每件售价定为 6 元,试求:(1) 生产 200 件该产品时的利润和平均利润;(2) 生产该产品的盈亏平衡点.

[分析] 解这一类问题时,要搞清成本、收入、利润这几个函数以及它们之间的相互关系,如成本函数由固定成本和可变成本两部分组成,又如收入函数是价格与产量的乘积.利润函数是收入与成本之差,总利润除以产量就是平均利润.利润函数

$$L(q) = R(q) - C(q)$$

其中,$R(q)$ 为生产该产品的收入,收入函数

$$R(q) = q \cdot p(q)$$

其中,$p(q)$ 是该产品的价格函数,在本例中价格为常数,即

$$p(q) \equiv 6$$

这样便可以求出该产品的利润,进而求出平均利润,生产 200 件该产品时的利润和平均利润分别为 $L(200)$ 和 $\bar{L}(200)$.最后根据方程 $L(q) = 0$ 解出产量 q_0,q_0 就是盈亏平衡点.

解 (1) 已知

$$C(q) = 500 + 2q(元)$$

又由题意知收入函数为

$$R(q) = 6q$$

可得该产品的利润函数为

$$\begin{aligned}L(q) &= R(q) - C(q)\\ &= 6q - (500 + 2q)\\ &= 4q - 500(元)\end{aligned}$$

可得该产品的平均利润函数为

$$\bar{L} = \frac{L(q)}{q} = 4 - \frac{500}{q}(元/件)$$

生产 200 件该产品时的利润为

$$\begin{aligned}L(200) &= 4 \times 200 - 500\\ &= 300(元)\end{aligned}$$

而此时平均利润为

$$\begin{aligned}\bar{L}(200) &= 4 - \frac{500}{200}\\ &= 1.5(元/件)\end{aligned}$$

即生产 200 件该产品时的利润为 300 元,平均每件利润为 1.5 元.

(2) 利用 $L(q) = 0$ 得

$$4q - 500 = 0$$

解得

$$q_0 = 125(件)$$

即盈亏平衡点为 125 件.

例 8　如果将 5 000 元钱按以下两种方式存入银行,(1)按 3 年定期存入;(2)按 1 年定期存入,但到期自动转存.假定存款利率不变,3 年后所得利息各应为多少?(已知 1 年期定期存款利率为 2.25%,3 年期定期存款利率为 3.24%)

[分析]　按照第二种方式,3 年后取出存款意味着自动转存了两次.

解　(1)$p = 5\ 000, n = 3, r = 3.24\%$,有

$$i = pnr(1 - 20\%) = 5\ 000 \times 3 \times 0.032\ 4 \times 0.8 = 388.8(元)$$

(2)$p = 5\ 000, n = 1, r = 2.25\%, m = 2$,有

$$i = p[(1 + nr)^{m+1} - 1](1 - 20\%)$$
$$= 5\ 000 \times [(1 + 0.022\ 5)^3 - 1] \times 0.8 = 276.12(元)$$

即我们按第一种方式存款应得利息 388.8 元,而按第二种方式存款应得利息 276.12 元.

例 9　如果甲、乙两个人的工资收入分别为 900 元、1 900 元,那么他们应交所得税的税额各为多少?

[分析]　根据收入的具体分布情况,可以利用公式的简化形式.

解　将公式简化为

$$y = \begin{cases} 0, & x \leqslant 1\ 600 \\ 0.05(x - 1\ 600), & 1\ 600 < x \leqslant 2\ 100 \end{cases}$$

$$y(900) = 0(元)$$
$$y(1\ 900) = 0.05 \times (1\ 900 - 1\ 600) = 15(元)$$

即甲不用交税,乙应交所得税的税额为 15 元.

例 10　某借款人从银行获得一笔 10 万元的个人住房贷款,贷款期限为 20 年,贷款月利率为 4.2‰,每月还本付息.按照两种不同的还贷方式,在第 1 个月和最后 1 个月的还款额各为多少?

[分析]　根据两种不同的还贷方式,分别计算.

解　如果按照等额本息还款方式,由公式可得

$$s = \frac{pr(1 + r)^m}{(1 + r)^m - 1}$$
$$= \frac{100\ 000 \times 0.004\ 2 \times (1 + 0.004\ 2)^{240}}{(1 + 0.0\ 042)^{240} - 1} = 662.17(元)$$

如果按照等额本金还款方式,由公式可得

$$s_1 = \frac{p}{m} + pr = \frac{100\ 000}{240} + 100\ 000 \times 0.004\ 2$$
$$= 416.67 + 420 = 836.67(元)$$

$$s_{240} = \frac{p}{m} + \left[p - (n-1)\frac{p}{m} \right] r$$

$$= \frac{100\,000}{240} + \left[100\,000 - (240-1) \times \frac{100\,000}{240} \right] \times 0.004\,2$$

$$= 416.67 + 1.75 = 418.42(元)$$

四、作业及作业参考答案

(一) 作业

练习

1. 求下列函数的定义域:

(1) $y = \dfrac{1}{\ln(x-1)}$;　　　　(2) $y = \dfrac{1}{x} + \sqrt{9-x^2}$.

2. 已知函数 $f(x+1) = x^2 + 2x$,求 $f(x)$ 及 $f\left(\dfrac{1}{x}\right)$.

3. 设 $f(x) = \begin{cases} e^x, & x \geqslant 0 \\ 1+x, & x < 0 \end{cases}$,求 $f(1), f(-1)$ 及 $f(0)$.

4. 将下列复合函数分解为基本初等函数的复合运算或四则运算:

(1) $y = 2^{\ln x}$;

(2) $y = \sqrt{3^x + x^3}$;

(3) $y = e^{x^2}$.

应用案例

5. 生产者向市场提供某种商品的供给函数为

$$q_s = p - 12$$

而该商品的需求量满足

$$q_d = 20 - p$$

试求该商品的市场均衡价格和市场均衡数量.

6. 根据 2006 年 1 月 1 日起执行的新的个人所得税政策,起征点提高到月收入为 1 600 元,根据个人所得税税率表,试列出个人收入在 3 000 元以内者交纳个税的税额和税后的实际收入.(提示:以税前收入为自变量 x,税额或税后收入为因变量 y,分别写出分段函数的表达式.)

7. 某商品的成本函数(单位为元)为

$$C = 18 + 2q$$

其中 q 为该商品的数量.

(1) 如果商品的售价为 4 元 / 件,该商品的保本点是多少?

(2) 售价为 4 元 / 件时,售出 10 件商品时的利润为多少?

(二) 作业参考答案

练习

1. (1) $(1,2) \bigcup (2,+\infty)$；　(2) $[-3,0) \bigcup (0,3]$.

2. $x^2 - 1, \dfrac{1-x^2}{x^2}$.

3. $\mathrm{e}, 0, 1$.

4. (1) $y = 2^u, u = \ln x$；　(2) $y = \sqrt{u}, u = 3^x + x^3$；　(3) $y = \mathrm{e}^u, u = x^2$.

应用案例

5. $p = 16, q = 4$.

6. $y = \begin{cases} 0, & x \leqslant 1\,600, \\ 0.05(x - 1\,600), & 1\,600 < x \leqslant 2\,100, \\ 25 + 0.1(x - 2\,100), & 2\,100 < x \leqslant 3\,000. \end{cases}$

7. (1) $q = 9$；　(2) $L(10) = 2$.

五、简单练习和习题的参考答案

简单练习 1.1

1. (1) $[4, +\infty]$；　(2) $(-\infty, 3)$；　(3) $(-\infty, -3) \bigcup [4, +\infty)$；
(4) $(-\infty, -5) \bigcup (-5, -3) \bigcup (-3, +\infty)$.

2. $2, 3, 6$.

3. 定义域为 $(-2, 1) \bigcup (1, 2)$；3，无意义，$\dfrac{7}{2}$.

4. (1) 不同；　(2) 不同；　(3) 不同.

5. (1) 单调增加；　(2) 单调减少；　(3) 不单调.

简单练习 1.2

1. 图略.

2. (1) 5；　(2) $2\sqrt{5}$.

3. (1) $y = -2x + 3$；　(2) $y = \dfrac{1}{2}x$；　(3) $y = 3x - \dfrac{3}{2}$.

4. (1) 平行不相交；　(2) 重合；　(3) 相交于 $\left(-\dfrac{1}{2}, \dfrac{5}{2}\right)$；　(4) 相交于 $(-4, -6)$. 图略.

5. 图略.

简单练习 1.3

1. $p = 5, q = 20$.

2. (1) $C(q) = 100 + 3q, C_0 = 100$；　(2) $C(200) = 700, \overline{C}(200) = \dfrac{7}{2}$.

3. $R(q) = 200q - \dfrac{q^2}{5}, R(200) = 32\,000$.

4. (1) $L(q) = 8q - 7 - q^2$；　(2) $L(4) = 9; \overline{L}(4) = \dfrac{9}{4}$；　(3) 亏损.

习题 1

1. (1) $(-1, 0) \bigcup (0, +\infty)$;

　(2) $[1, 2) \bigcup (2, +\infty)$.

2. $x^2 + 2x + 3, x^2 - 2x + 3, \dfrac{1 + 2x^2}{x^2}$.

3. $1, 3, 1$.

4. 图略.

5. 如表 1—1.

表 1—1

x	−4	−3	−2	−1.5	−1	−0.5	0	0.5	1	1.5	2
y	−7	7	9	7.4	5	2.6	1	0.9	3	8.1	17

函数图形与 x 轴的交点坐标约为 $x \approx -3.5$.

6. (1) 不同, 定义域不一样; (2) 相同; (3) 不同, 定义域不一样.

7. (1) $y = e^u, u = \sqrt{x}$; (2) $y = \sqrt{u}, u = \ln v, v = x + 1$; (3) $y = \lg u, u = \lg x$.

8. (1) $y = \cos^3 e^x$; (2) $y = \ln \sqrt[3]{1 + x^2}$.

9. $200, 4$.

10. 利息税按 20% 收取.

(1) 90 元, 388.8 元, 720 元;

(2) 274.89 元, 466.49 元.

11. (1) 以税前收入为自变量 x, 税额为因变量 y 时, 分段函数表达式为:

$$y = \begin{cases} 0, & x \leqslant 1\,600 \\ 0.05(x - 1\,600), & 1\,600 < x \leqslant 2\,100 \\ 0.1(x - 2\,100) + 0.05 \times 500, & 2\,100 < x \leqslant 3\,600 \end{cases}$$

(2) 以税前收入为自变量 x, 税后收入为因变量 y 时, 分段函数表达式为:

$$y = \begin{cases} 1\,600, & x \leqslant 1\,600 \\ 0.95x + 80, & 1\,600 < x \leqslant 2\,100 \\ 0.9x + 185, & 2\,100 < x \leqslant 3\,600 \end{cases}$$

12. (1) 9 件; (2) 9 元; (3) 如此将无法盈利.

13. (1) $q_1 = 2, q_2 = 9$; (2) 12; (3) $L(10) = -8$, 不能盈利.

14. (1) 等额本息还款法计算的每月还款额为:

$$\dfrac{200\,000 \times 0.004\,2 \times (1 + 0.004\,2)^{120}}{(1 + 0.004\,2)^{120} - 1} = 2\,125.223 (元), 所还利息总额为 55\,026.7.$$

(2) 等额本金还款法计算的每月还款额为:

$$\dfrac{200\,000}{120} + (200\,000 - 累计已还本金) \times 0.004\,2$$

(第一个月的还款额可以按累计已还本金为零或自己规定一定额度.)

第2章　效用问题与导数方法

一、本章主要内容

(一)主要概念

1. 导数的概念：

设函数 $y = f(x)$ 在点 x_0 的某个邻域内有定义，当自变量 x 在点 x_0 处取得改变量 $\Delta x(\Delta x \neq 0)$ 时，函数 y 取得相应的改变量

$$\Delta y = f(x_0 + \Delta x) - f(x_0)$$

若当 $\Delta x \to 0$ 时，两个改变量之比 $\dfrac{\Delta y}{\Delta x}$ 的极限

$$\lim_{\Delta x \to 0} \frac{\Delta y}{\Delta x} = \lim_{\Delta x \to 0} \frac{f(x_0 + \Delta x) - f(x_0)}{\Delta x}$$

存在，则称函数 $y = f(x)$ 在点 x_0 处可导，并称此极限值为函数 $y = f(x)$ 在点 x_0 处的导数，记为

$$f'(x_0), y' \Big|_{x=x_0} \text{ 或 } \frac{\mathrm{d}f}{\mathrm{d}x}\Big|_{x=x_0}, \quad \frac{\mathrm{d}y}{\mathrm{d}x}\Big|_{x=x_0}$$

即

$$f'(x_0) = \lim_{\Delta x \to 0} \frac{\Delta y}{\Delta x} = \lim_{\Delta x \to 0} \frac{f(x_0 + \Delta x) - f(x_0)}{\Delta x}$$

若此公式中的极限不存在，则称函数 $y = f(x)$ 在点 x_0 处不可导.

将上式中的 x_0 换成 x，则

$$f'(x) = \lim_{\Delta x \to 0} \frac{f(x + \Delta x) - f(x)}{x}$$

为函数在 x 处的导数.

2. 微分的概念：

设函数 $y = f(x)$ 在点 x_0 处可导，Δx 是自变量 x 的改变量，称 $f'(x_0)\Delta x$ 为函数 $y = f(x)$ 在点 x_0 处的微分，记作

$$\mathrm{d}y \big|_{x=x_0}$$

即

$$\mathrm{d}y \big|_{x=x_0} = f'(x_0)\Delta x$$

并称函数 $f(x)$ 在点 x_0 处可微.

将上式中的 x_0 换为 x,则

$$\mathrm{d}y = f'(x)\Delta x$$

称为函数在 x 处的微分.

3. 函数的极限:

设函数 $f(x)$ 在点 x_0 的某个邻域内(点 x_0 可以除外)有定义,如果当 x 无限地趋近于 x_0(但 $x \neq x_0$)时,函数 $f(x)$ 无限地趋近于某个固定常数 A,则称当 x 趋近于 x_0 时,$f(x)$ 以 A 为极限,记作

$$\lim_{x \to x_0} f(x) = A \text{ 或 } f(x) \to A(x \to x_0)$$

若自变量 x 趋近于 x_0 时,函数 $f(x)$ 没有一个固定的变化趋势,则称函数 $f(x)$ 在点 x_0 处没有极限.

4. 左、右极限:

设函数 $f(x)$ 在点 x_0 的某个邻域内(点 x_0 可以除外)有定义,如果当 $x < x_0$ 且 x 无限地趋近于 x_0(即 x 从 x_0 的左侧趋近于 x_0,记为 $x \to x_0^-$)时,函数 $f(x)$ 无限地趋近于某个固定常数 A,则称当 x 趋于 x_0 时,$f(x)$ 以 A 为左极限,记作

$$\lim_{x \to x_0^-} f(x) = A$$

如果当 $x > x_0$ 且 x 无限地趋近于 x_0(即 x 从 x_0 的右侧趋近于 x_0,记为 $x \to x_0^+$)时,函数 $f(x)$ 无限地趋近于某个固定常数 A,则称当 x 趋于 x_0 时,$f(x)$ 以 A 为右极限,记作

$$\lim_{x \to x_0^+} f(x) = A$$

5. 无穷小量:

在自变量的某个变化过程中,以 0 为极限的变量是无穷小量,简称无穷小,常用希腊字母 α,β,γ 等表示.

6. 函数的连续性:

设函数 $f(x)$ 在点 x_0 的某个邻域内有定义,并满足

$$\lim_{x \to x_0} f(x) = f(x_0)$$

则称函数 $f(x)$ 在点 x_0 处连续,点 x_0 称为函数 $f(x)$ 的连续点.

7. 函数的极值:

设函数 $f(x)$ 在点 x_0 的某个邻域内有定义,如果对该邻域内的任意一点 $x(x \neq x_0)$,恒有 $f(x) \leqslant f(x_0)$,则称 $f(x_0)$ 为函数 $f(x)$ 的极大值,称 x_0 为函数 $f(x)$ 的极大值点;如果对该邻域内的任意一点 $x(x \neq x_0)$,恒有 $f(x) \geqslant f(x_0)$,则称 $f(x_0)$ 为函数 $f(x)$ 的极小值,称 x_0 为函数 $f(x)$ 的极小值点.

8. 需求弹性:

设某种商品的市场需求量为 q,价格为 p,需求函数 $q = q(p)$ 可导,则称

$$E_p = \frac{p}{q(p)} \cdot q'(p)$$

为该商品的需求价格弹性,简称为**需求弹性**.

9. 边际成本:

当总成本函数 $C(q)$ 可导时,其边际成本定义为

$$\lim_{\Delta q \to 0} \frac{\Delta C}{\Delta q} = \lim_{\Delta q \to 0} \frac{C(x + \Delta q) - C(q)}{\Delta q} = C'(q)$$

即边际成本是总成本函数 $C(q)$ 关于产量 q 的导数,其经济含义是:当产量为 q 时,再生产一个单位产品(即 $\Delta q = 1$)所增加的总成本 $\Delta C(q)$. 因此,近似地记为

$$C(q+1) - C(q) = \Delta C(q) \approx C'(q)$$

边际成本有时用 MC 表示,即 $MC = C'(q)$.

10. 边际收入:

当总收入函数 $R(q)$ 可导时,其边际收入定义为

$$\lim_{\Delta q \to 0} \frac{\Delta R}{\Delta q} = \lim_{\Delta q \to 0} \frac{R(q + \Delta q) - R(q)}{\Delta q} = R'(q)$$

即边际收入是总收入函数 $R(q)$ 关于销售量 q 的导数. 边际收入有时用 MR 表示,即 $MR = R'(q)$.

11. 边际利润:

利润函数 $L(q)$ 等于总收入函数 $R(q)$ 减去总成本函数 $C(q)$,即

$$L(q) = R(q) - C(q)$$

那么,由导数运算法则可知

$$L'(q) = R'(q) - C'(q)$$

所以,边际利润 $L'(q)$ 等于边际收入 $R'(q)$ 减去边际成本 $C'(q)$.

(二) 主要公式

1. 导数的基本公式:

(1) $(C)' = 0$　(C 为常数)

(2) $(x^{\alpha})' = \alpha x^{\alpha - 1}$　(α 为任意实数)

(3) $(a^x)' = a^x \ln a$　($a > 0$,且 $a \neq 1$)

(4) $(e^x)' = e^x$

(5) $(\ln x)' = \dfrac{1}{x}$

(6) $(\log_a x)' = \dfrac{1}{x}\log_a e = \dfrac{1}{x \ln a}$　($a > 0$,且 $a \neq 1$)

2. 主要计算:

导数公式的使用,四则运算求导,复合函数的求导,二阶导数的计算.

(三) 主要定理

定理 2.1　(极限存在的充分必要条件)当 $x \to x_0$ 时,函数 $f(x)$ 极限存在的充分必要条件是当 $x \to x_0$ 时,函数 $f(x)$ 的左、右极限都存在且相等,即

$$\lim_{x \to 0} f(x) = A \Leftrightarrow \lim_{x \to 0^-} f(x) = \lim_{x \to 0^+} f(x) = A$$

定理 2.2 （极限的四则运算法则）在某个变化过程中,如果变量 u 和变量 v 分别以 A,B 为极限,则有以下结论：

(1) 变量 $u \pm v$ 以 $A \pm B$ 为极限,即

$$\lim(u \pm v) = A \pm B$$

(2) 变量 $u \cdot v$ 以 $A \cdot B$ 为极限,即

$$\lim(u \cdot v) = A \cdot B$$

(3) 当 $B \neq 0$ 时,变量 $\dfrac{u}{v}$ 以 $\dfrac{A}{B}$ 为极限,即

$$\lim \frac{u}{v} = \frac{A}{B}$$

定理 2.3 （导数的四则运算法则）设 $u(x),v(x)$ 在点 x 处可导,则

$$[u(x) \pm v(x)]' = u'(x) \pm v'(x)$$
$$[u(x) \cdot v(x)]' = u'(x)v(x) + u(x)v'(x)$$
$$\left[\frac{u(x)}{v(x)}\right]' = \frac{u'(x)v(x) - u(x)v'(x)}{v^2(x)} \quad (v(x) \neq 0)$$

定理 2.4 （复合函数求导法则）设 $y = f(u), u = g(x)$,且 $u = g(x)$ 在点 x 处可导,$y = f(u)$ 在点 $u = g(x)$ 处可导,则复合函数 $y = f[g(x)]$ 在点 x 处可导,且

$$y'_x = f'(u) \cdot g'(x)$$

或

$$y'_x = y'_u \cdot u'_x$$

定理 2.5 （函数单调性判别定理）设函数 $y = f(x)$ 在区间 $[a,b]$ 上连续,在区间 (a,b) 内可导.

(1) 如果 $x \in (a,b)$ 时,$f'(x) > 0$,则 $f(x)$ 在区间 $[a,b]$ 上单调增加；

(2) 如果 $x \in (a,b)$ 时,$f'(x) < 0$,则 $f(x)$ 在区间 $[a,b]$ 上单调减少.

定理 2.6 （极值存在的必要条件）如果点 x_0 是函数 $f(x)$ 的极值点,且 $f'(x_0)$ 存在,则

$$f'(x_0) = 0$$

定理 2.7 （极值存在的充分条件）设函数 $f(x)$ 在点 x_0 的邻域内连续并且可导（$f'(x_0)$ 可以不存在）.

(1) 如果在点 x_0 的左邻域内,$f'(x) > 0$；在点 x_0 的右邻域内,$f'(x) < 0$；那么 x_0 是 $f(x)$ 的极大值点,且 $f(x_0)$ 是 $f(x)$ 的极大值.

(2) 如果在点 x_0 的左邻域内,$f'(x) < 0$；在点 x_0 的右邻域内,$f'(x) > 0$；那么 x_0 是 $f(x)$ 的极小值点,且 $f(x_0)$ 是 $f(x)$ 的极小值.

(3) 如果在点 x_0 的邻域内,$f'(x)$ 不变号,那么 x_0 不是 $f(x)$ 的极值点.

<h1 style="text-align:center">二、解题方法</h1>

1. 求极限的方法(极限四则运算法则):

在某个变化过程中,如果变量 u 和变量 v 分别以 A,B 为极限,则有以下结论:

(1) 变量 $u \pm v$ 以 $A \pm B$ 为极限,即

$$\lim(u \pm v) = A \pm B$$

(2) 变量 $u \cdot v$ 以 $A \cdot B$ 为极限,即

$$\lim(u \cdot v) = A \cdot B$$

(3) 当 $B \neq 0$ 时,变量 $\dfrac{u}{v}$ 以 $\dfrac{A}{B}$ 为极限,即

$$\lim \frac{u}{v} = \frac{A}{B}$$

2. 求导数的方法:

(1) 导数的四则运算法则:

设 $u(x),v(x)$ 在点 x 处可导,则

$$[u(x) \pm v(x)]' = u'(x) \pm v'(x)$$
$$[u(x) \cdot v(x)]' = u'(x)v(x) + u(x)v'(x)$$
$$\left[\frac{u(x)}{v(x)}\right]' = \frac{u'(x)v(x) - u(x)v'(x)}{v^2(x)} \quad (v(x) \neq 0)$$

(2) 复合函数求导法则:

设 $y = f(u), u = g(x)$,且 $u = g(x)$ 在点 x 处可导,$y = f(u)$ 在点 $u = g(x)$ 处可导,则复合函数 $y = f[g(x)]$ 在点 x 处可导,且

$$y' = f'(u) \cdot g'(x)$$

或

$$y'_x = y'_u \cdot u'_x$$

3. 函数单调性的判别方法:

求函数 $f(x)$ 的单调区间的步骤为:

(1) 确定函数 $f(x)$ 的定义域;

(2) 求出函数 $f(x)$ 在其定义域内 $f'(x) = 0$ 的点和导数不存在的点,用这些点把定义域分成若干个子区间;

(3) 确定 $f'(x)$ 在每个子区间内的符号. 一般在该区间内任取一点 x_0,求出 $f'(x_0)$ 的符号,由于 $f(x)$ 在该区间内有单调性,故 $f'(x_0)$ 的符号就是 $f'(x)$ 在该区间内的符号.

(4) 根据每个子区间内 $f'(x)$ 的符号,确定 $f(x)$ 的单调增减性,得到 $f(x)$ 的单调区间.

4. 函数极值的求法:

求函数极值的步骤为:

(1) 确定函数 $f(x)$ 的定义域,并求 $f(x)$ 的导数 $f'(x)$;

(2) 解方程 $f'(x) = 0$,求出 $f(x)$ 在定义域内的所有驻点;

(3) 找出 $f(x)$ 在定义域内的所有导数不存在的点;

(4) 讨论 $f'(x)$ 在驻点和不可导点的左、右两侧附近符号变化情况,确定函数的极值点.

5. 函数最值的求法:

求函数最值的步骤为:

(1) 求函数的一阶导数,确定函数在指定区间内的驻点和不可导点;

(2) 求出所给区间上所有驻点、不可导点及边界点的函数值并进行比较;

(3) 上述驻点、不可导点及边界点的函数值中最大者为最大值,最小者为最小值.

6. 需求弹性的求法:

首先求出需求函数 $q = q(p)$ 的导数 $q'(p)$,然后代入需求弹性的公式 $E_p = \dfrac{p}{q(p)} \cdot q'(p)$.

三、例题解析

例 1 $y = f(x) = x^2$,求 $f'(1)$,$f'(3)$ 及 $f'(-2)$.

[分析] 先求 $f'(x)$,再求 $f'(x_0)$.

求 $f'(x)$ 的步骤是:

(1) 确定函数的改变量 Δy;

(2) 作比值 $\dfrac{\Delta y}{\Delta x}$;

(3) $f'(x) = \lim\limits_{\Delta x \to 0} \dfrac{\Delta y}{\Delta x}$.

解 因为 $f(x) = x^2$,$f(x + \Delta x) = (x + \Delta x)^2$

$$\lim_{\Delta x \to 0} \frac{f(x + \Delta x) - f(x)}{\Delta x}$$
$$= \lim_{\Delta x \to 0} \frac{(x + \Delta x)^2 - x^2}{\Delta x}$$
$$= \lim_{\Delta x \to 0} \frac{2x\Delta x + (\Delta x)^2}{\Delta x}$$
$$= 2x$$

所以,$f'(x) = (x^2)' = 2x$

$f'(1) = 2$,$f'(3) = 6$,$f'(-2) = -4$.

例 2 $f(x) = \begin{cases} x + 1, & x \leqslant 1 \\ 2x - 3, & x > 1 \end{cases}$

问 $f(x)$ 在 $x = 1$ 处是否连续?

[分析] 因为函数 $f(x)$ 是分段函数,$x = 1$ 是函数 $f(x)$ 的分段点,所以,讨论函数在点 $x = 1$ 处是否连续,要看是否必有 $\lim\limits_{x \to 1^-} f(x) = \lim\limits_{x \to 1^+} f(x) = f(1)$.

解　因为 $f(1) = 2$

$$\lim_{x \to 1^+} f(x) = \lim_{x \to 1^+} (2x - 3) = -1$$

$$\lim_{x \to 1^-} f(x) = \lim_{x \to 1^-} (x + 1) = 2$$

所以,$\lim_{x \to 1} f(x)$ 不存在,函数 $f(x)$ 在 $x = 1$ 处是间断的.

例 3　计算下列函数的极限:

(1) $\lim_{x \to 1} \dfrac{x^2 + 2x - 3}{x^2 - 6x + 5}$;

(2) $\lim_{x \to 0} \dfrac{\sqrt{1 - x} - 1}{x}$.

[分析]　解题之前,先分清求极限函数的类型,再选择相应的方法求解.

(1) 原式是个有理分式,且当 $x \to 1$ 时,分式的分子、分母的极限都为零,故不能直接用商的极限法则.同时我们还注意到,分式的分子、分母均为 x 的二次多项式,而当 $x \to 1$ 时,分子、分母的极限都为零,说明分子、分母中均含有因式 $x - 1$,这时采取分解因式的方法,消去使分母极限为零的因式 $(x - 1)$(当 $x \to 1$ 时),再用商的极限法则求出极限值.

(2) 当 $x \to 0$ 时,分式的分子、分母的极限均为零,而且分子是一个无理函数,显然不能用分解因式消去零因子的方法.对于这类题目,一般地,先将根式有理化,消去分式中的无理根式,再用极限的运算法则计算极限.

解　(1) $\lim_{x \to 1} \dfrac{x^2 + 2x - 3}{x^2 - 6x + 5} = \lim_{x \to 1} \dfrac{(x - 1)(x + 3)}{(x - 1)(x - 5)} = \lim_{x \to 1} \dfrac{x + 3}{x - 5} = \dfrac{4}{-4} = -1$

$(2) \lim_{x \to 0} \dfrac{\sqrt{1 - x} - 1}{x} = \lim_{x \to 0} \dfrac{(\sqrt{1 - x} - 1)(\sqrt{1 - x} + 1)}{x(\sqrt{1 - x} + 1)}$

$$= \lim_{x \to 0} \dfrac{-x}{x(\sqrt{1 - x} + 1)}$$

$$= \lim_{x \to 0} \dfrac{-1}{(\sqrt{1 - x} + 1)} = -\dfrac{1}{2}$$

例 4　计算下列函数的导数或微分:

(1) 设 $y = x^3 + 3^x + \log_3 x - \sqrt[3]{3}$,求 y'.

(2) 设 $y = \dfrac{x - 2}{\sqrt[3]{x^2}}$,求 $\mathrm{d}y$.

[分析]　这两个函数都是由基本初等函数经过四则运算得到的初等函数,求导数或求微分时,需要用到导数基本公式和导数的四则运算法则.对于(1),先用导数的加法法则,再用导数基本公式;对于(2),可以先用导数的除法法则,再用导数基本公式;但注意到(2) 中函数的特点,先将函数进行整理,$y = \dfrac{x - 2}{\sqrt[3]{x^2}} = x^{\frac{1}{3}} - 2x^{\frac{2}{3}}$,则可用导数的加法法则求导,得到函数的导数后再乘以 $\mathrm{d}x$,便可得到函数的微分.

解　$(1) y' = (x^3 + 3^x + \log_3 x - \sqrt[3]{3})'$

$$= (x^3)' + (3^x)' + (\log_3 x)' - (\sqrt[3]{3})'$$

17

$$= 3x^2 + 3^x \ln 3 + \frac{1}{x \ln 3} - 0$$

$$= 3x^2 + 3^x \ln 3 + \frac{1}{x \ln 3}$$

(2) 因为 $y = \dfrac{x-2}{\sqrt[3]{x^2}} = x^{\frac{1}{3}} - 2x^{-\frac{2}{3}}$

所以，$y' = (x^{\frac{1}{3}})' - 2(x^{-\frac{2}{3}})' = \dfrac{1}{3}x^{-\frac{2}{3}} + \dfrac{4}{3}x^{-\frac{5}{3}}$，

于是 $\quad \mathrm{d}y = y'\mathrm{d}x = \left(\dfrac{1}{3}x^{-\frac{2}{3}} + \dfrac{4}{3}x^{-\frac{5}{3}}\right)\mathrm{d}x.$

在运用导数的四则运算法则时应注意：

(1) 在求导或求微分运算中，一般是先用法则，再用基本公式；

(2) 把根式 $\sqrt[q]{x^p}$ 写成幂次 $x^{\frac{p}{q}}$ 的形式，这样便于使用公式，且避免出错；

(3) 解题时应先观察函数，看能否对函数进行变形或化简，在运算中应尽可能地避免使用导数的除法法则. 如将 $y = \dfrac{x-2}{\sqrt[3]{x^2}}$ 变形为 $y = \dfrac{x-2}{\sqrt[3]{x^2}} = x^{\frac{1}{3}} - 2x^{-\frac{2}{3}}$ 后，再求导数，这种解法比直接用除法法则求解要简便，且不易出错.

(4) 导数的乘法和除法法则与极限相应的法则不同，运算也相对复杂得多，计算时要细心.

例5 计算下列函数的导数或微分：

(1) 设 $y = \mathrm{e}^{\frac{1}{x}}$，求 $\mathrm{d}y$.

(2) 设 $y = \ln(x - \sqrt{x^2+1})$，求 $y'(\sqrt{3})$.

(3) 设 $y = \left(\dfrac{x}{x^2+1}\right)^{10}$，求 y'.

[**分析**] 采用复合函数求导法则，所设的中间变量应是基本初等函数或由基本初等函数的四则运算所构成. 求导时，依照函数的复合层次由最外层起，向内一层层地对中间变量求导，直到对自变量求导为止.

解 (1) 设 $y = \mathrm{e}^u, u = \dfrac{1}{x}$，利用复合函数的求导法则，有

$$y' = (\mathrm{e}^u)'_u \left(\frac{1}{x}\right)'_x = \mathrm{e}^u \left(-\frac{1}{x^2}\right)$$

代回还原得

$$y' = \mathrm{e}^{\frac{1}{x}}\left(-\frac{1}{x^2}\right) = -\frac{1}{x^2}\mathrm{e}^{\frac{1}{x}}$$

$$\mathrm{d}y = y'\mathrm{d}x = -\frac{1}{x^2}\mathrm{e}^{\frac{1}{x}}\mathrm{d}x$$

在基本掌握复合函数求导法则后，也可以不写出中间变量，如以下解法：

$$y' = \mathrm{e}^{\frac{1}{x}}\left(\frac{1}{x}\right)' = \mathrm{e}^{\frac{1}{x}}\left(-\frac{1}{x^2}\right)$$

$$\mathrm{d}y = y'\mathrm{d}x = -\frac{1}{x^2}\mathrm{e}^{\frac{1}{x}}\mathrm{d}x$$

（2）设 $y = \ln u, u = x - \sqrt{v}, v = x^2 + 1$，利用复合函数的求导法则，有

$$y' = (\ln u)'_u \left[(x)'_x - (\sqrt{v})'_v (x^2 + 1)'_x \right]$$
$$= \frac{1}{u} \left(1 - \frac{1}{2\sqrt{v}} \times 2x \right)$$

代回还原得

$$y' = \frac{1}{x - \sqrt{x^2 + 1}} \left(1 - \frac{x}{\sqrt{x^2 + 1}} \right) = - \frac{1}{\sqrt{x^2 + 1}}$$

$$y'(\sqrt{3}) = - \frac{1}{\sqrt{3 + 1}} = - \frac{1}{2}$$

或者

$$y' = \frac{1}{x - \sqrt{x^2 + 1}} (x - \sqrt{x^2 + 1})'$$
$$= \frac{1}{x - \sqrt{x^2 + 1}} \left[1 - \frac{1}{2\sqrt{x^2 + 1}} (x^2 + 1)' \right]$$
$$= \frac{1}{x - \sqrt{x^2 + 1}} \left(1 - \frac{2x}{2\sqrt{x^2 + 1}} \right)$$
$$= - \frac{1}{\sqrt{x^2 + 1}}$$

$$y'(\sqrt{3}) = - \frac{1}{\sqrt{3 + 1}} = - \frac{1}{2}$$

（3）设 $y = u^{10}, u = \dfrac{x}{v}, v = x^2 + 1$，利用复合函数的求导法则和导数的四则运算法则，有

$$y' = (u^{10})'_u \left(\frac{x}{v} \right)' = (u^{10})'_u \left(\frac{x'_x v - x v'_x}{v^2} \right) = 10 u^9 \frac{v - x \cdot 2x}{v^2}$$

代回还原得

$$y' = 10 \left(\frac{x}{x^2 + 1} \right)^9 \cdot \frac{x^2 + 1 - 2x^2}{(x^2 + 1)^2} = \frac{10 x^9 (1 - x^2)}{(x^2 + 1)^{11}}$$

或者

$$y' = 10 \left(\frac{x}{x^2 + 1} \right)^9 \left(\frac{x}{x^2 + 1} \right)' = 10 \left(\frac{x}{x^2 + 1} \right)^9 \frac{x^2 + 1 - x \cdot 2x}{(x^2 + 1)^2}$$
$$= 10 \left(\frac{x}{x^2 + 1} \right)^9 \cdot \frac{x^2 + 1 - 2x^2}{(x^2 + 1)^2} = \frac{10 x^9 (1 - x^2)}{(x^2 + 1)^{11}}$$

例 6　求函数 $y = \sqrt{x} \ln x$ 的二阶导数.

［**分析**］　函数的二阶导数为函数一阶导数的导数（如果仍然可导），所以先求一阶导数，再求二阶导数.

解　因为 $y' = \dfrac{1}{2\sqrt{x}} \ln x + \sqrt{x} \cdot \dfrac{1}{x} = \dfrac{1}{\sqrt{x}} \left(\dfrac{1}{2} \ln x + 1 \right)$

所以，$y'' = -\frac{1}{2}x^{-\frac{3}{2}}\left(\frac{1}{2}\ln x + 1\right) + \frac{1}{2\sqrt{x}} \cdot \frac{1}{x} = -\frac{1}{4}x^{-\frac{3}{2}}\ln x.$

例 7 求函数 $f(x) = \frac{3}{5}x^{\frac{5}{3}} - \frac{3}{2}x^{\frac{2}{3}} + 1$ 的单调区间.

[**分析**] 求函数 $f(x)$ 的单调区间的步骤为：

(1) 确定函数 $f(x)$ 的定义域；

(2) 求出函数 $f(x)$ 在其定义域内 $f'(x) = 0$ 的点和导数不存在的点，用这些点把定义域分成若干个子区间；

(3) 确定 $f'(x)$ 在每个子区间内的符号：一般在该区间内任取一点 x_0，求出 $f'(x_0)$ 的符号，由于 $f(x)$ 在该区间内的单调性，故 $f'(x_0)$ 的符号就是 $f'(x)$ 在该区间内的符号；

(4) 根据每个子区间内 $f'(x)$ 的符号，确定 $f(x)$ 的单调增减性，得到 $f(x)$ 的单调区间.

解 函数 $f(x) = \frac{3}{5}x^{\frac{5}{3}} - \frac{3}{2}x^{\frac{2}{3}} + 1$ 的定义域是 $(-\infty, +\infty)$

$\because$ $f'(x) = x^{\frac{2}{3}} - x^{-\frac{1}{3}} = \frac{x-1}{\sqrt[3]{x}}$

可见，在 $x_1 = 0$ 处 $f'(x)$ 不存在.

令 $f'(x) = 0$，即 $\frac{x-1}{\sqrt[3]{x}} = 0$，得 $x_2 = 1$.

以 $x_1 = 0, x_2 = 1$ 为分点，将函数的定义域分成三个子区间：$(-\infty, 0), (0, 1), (1, +\infty)$.

当 $x \in (-\infty, 0)$ 时，$f'(x) = \frac{x-1}{\sqrt[3]{x}} > 0$；

当 $x \in (0, 1)$ 时，$f'(x) = \frac{x-1}{\sqrt[3]{x}} < 0$；

当 $x \in (1, +\infty)$ 时，$f'(x) = \frac{x-1}{\sqrt[3]{x}} > 0$.

$\therefore$ 函数 $f(x)$ 的单调增加区间为 $(-\infty, 0]$ 和 $[1, +\infty)$，单调减少区间为 $[0, 1]$.

例 8 设 $f(x) = x^3 - 3x^2 - 9x$，试求：

(1) $f(x)$ 的极值；

(2) $f(x)$ 在区间 $[0, 4]$ 上的最大值和最小值.

[**分析**] 求函数极值的步骤为：

(1) 确定函数 $f(x)$ 的定义域，并求出 $f(x)$ 的导数 $f'(x)$；

(2) 解方程 $f'(x) = 0$，求出 $f(x)$ 在定义域内的所有驻点；

(3) 找出 $f(x)$ 在定义域内的所有导数不存在的点；

(4) 讨论 $f'(x)$ 在驻点和不可导点的左、右两侧附近符号变化情况，确定函数的极值点.

求函数最值的步骤为：

(1) 求函数的一阶导数，确定函数在指定区间的内驻点和不可导点；

(2) 求出所给区间上所有驻点、不可导点及边界点的函数值进行比较；

(3) 上述驻点、不可导点及边界点的函数值中最大者为最大值，最小者为最小值.

解 (1) 函数 $f(x)$ 的定义域为 $(-\infty, +\infty)$

$$f'(x) = 3x^2 - 6x - 9 = 3(x+1)(x-3)$$

令 $f'(x) = 0$,得 $x_1 = -1, x_2 = 3$ 为函数 $f(x)$ 的驻点,且 $f(x)$ 没有不可导点.

用驻点将函数的定义域分成三个子区间:$(-\infty, -1), (-1, 3), (3, +\infty)$. $f'(x)$ 在各子区间内的符号变化及极值点情况如表 2—1 所示.

表 2—1 $f(x) = x^3 - 3x^2 - 9x$ 的极值情况

x	$(-\infty, -1)$	-1	$(-1, 3)$	3	$(3, +\infty)$
$f'(x)$	$+$	0	$-$	0	$+$
$f(x)$	↗	5 极大值	↘	-27 极小值	↗

所以,$f(x) = x^3 - 3x^2 - 9x$ 的极大值点是 $x_1 = -1$,极小值点是 $x_2 = 3$.

(2) 在区间 $[0, 4]$ 上,函数 $f(x)$ 只有一个驻点 $x = 3$,没有不可导点,比较 $0, 3, 4$ 三点的函数值:

$$f(0) = 0, \quad f(3) = -27, \quad f(4) = -20$$

所以,$f(x) = x^3 - 3x^2 - 9x$ 在区间 $[0, 4]$ 上的最大值是 $f(0) = 0$,最小值是 $f(3) = -27$.

例 9 若 A,B 两种商品的需求函数分别为

$$q_A = 3e^{-2p}, \quad q_B = 3e^{-p}$$

试比较两种商品的需求弹性.如果两种商品以同样幅度提价,哪一种商品的需求量减少得多?

[分析] 由公式 $E_p = \dfrac{p}{q(p)} \cdot q'(p)$ 可知,求商品的需求弹性时,应首先求出它的边际需求,然后代入需求弹性公式,就可得到这种商品的需求弹性.

解 (1) 求 A 种商品的需求弹性.

∵ $q_A' = -6e^{-2p}$

∴ $E_A = \dfrac{p}{q_A} \cdot q_A' = \dfrac{p}{3e^{-2p}} \times (-6e^{-2p}) = -2p$

(2) 求 B 种商品的需求弹性.

∵ $q_B' = -3e^{-p}$

∴ $E_B = \dfrac{p}{q_B} \cdot q_B' = \dfrac{p}{3e^{-p}} \times (-3e^{-p}) = -p$

(3) 当价格为 $p = p_0$ 时,A 种商品的需求弹性为 $E_A(p_0) = -2p_0$,B 商品的需求弹性为 $E_B(p_0) = -p_0$.

∵ $|E_A(p_0)| = 2p_0 > p_0 = |E_B(p_0)|$

∴ 对两种商品以同样幅度提价,A 种商品的需求量减少得多.

例 10 某种产品生产 q 个单位的总成本函数为

$$C(q) = 200 + 0.05q^2$$

求:(1) 生产 90 个单位时的平均成本;

(2) 生产 90 个单位到 100 个单位时,总成本的平均变化率;

（3）生产 90 个单位与生产 100 个单位时的边际成本.

[分析]　本题要求分别求出平均成本,在一定范围内成本的平均变化率,在一些点处的边际成本.这三个概念都反映一定意义下的"平均",但是又有区别.

平均成本 $\dfrac{C(q)}{q}$ 是生产一定数量后的平均成本,它只与产量 q 有关.

平均变化率 $\dfrac{\Delta C(q)}{\Delta q}$ 是生产一定数量后再增产 Δq 时,总成本增加值 ΔC 的平均,这个比值既与产量 q 有关,又与增量 Δq 有关.

边际成本是极限意义下的平均,是当增量 $\Delta q \to 0$ 时,总成本 $C(q)$ 的瞬时变化率.

解（1）因为 $\dfrac{C(q)}{q} = \dfrac{200}{q} + 0.05q$

所以,当 $q = 90$ 时的平均成本为

$$\dfrac{C(90)}{90} = \dfrac{200}{90} + 0.05 \times 90 \approx 6.72$$

（2）因为生产 90 个单位到 100 个单位产品时,总成本的改变量为

$$\Delta C(q) = C(100) - C(90)$$
$$= 200 + 0.05 \times 100^2 - (200 + 0.05 \times 90^2) = 95$$
$$\Delta q = 100 - 90 = 10$$

所以,总成本的平均变化率为

$$\dfrac{\Delta C(q)}{\Delta q} = \dfrac{95}{10} = 9.5$$

（3）因为边际成本为 $C'(q) = 0.1q$

所以,当 $q = 90$ 时,$C'(90) = 0.1 \times 90 = 9$;

当 $q = 100$ 时,$C'(100) = 0.1 \times 100 = 10$.

即生产 90 个单位产品与生产 100 个单位产品时的边际成本分别为 9 和 10.

例 11　已知生产某种产品的总成本为 $C(q) = 0.1q^2 + 15q + 22.5$（单位为千元）.试求使该产品的平均成本最小的产量,并求此时的边际成本.

[分析]　（1）要求使平均成本最小的产量,即求产量为多少时平均成本最小,求平均成本的最小值,应先求平均成本,再求最小值.

（2）边际成本即为成本函数的导数.

解　（1）设生产该种产品的平均成本为 $\overline{C}(q)$,那么平均成本函数为

$$\overline{C}(q) = \dfrac{C(q)}{q} = 0.1q + 15 + \dfrac{22.5}{q}, q \in (0, +\infty)$$

$\because$　$\overline{C}'(q) = 0.1 - \dfrac{22.5}{q^2}$

令 $\overline{C}'(q) = 0$,得 $q_1 = 15, q_2 = -15$（舍去）,且 $q_1 = 15$ 是平均成本函数 $\overline{C}(q)$ 的惟一驻点.

所以,$q_1 = 15$ 是 $\overline{C}(q)$ 的极小值点,也是 $\overline{C}(q)$ 的最小值点.

即当产量为 15 个单位时,该产品的平均成本最小.

(2) ∵　边际成本 $C'(q) = 0.2q + 15$

∴　当 $q = 15$ 时,$C'(15) = 0.2 \times 15 + 15 = 18$

即当产量为 15 个单位时的边际成本为 18 千元 / 单位.

例 12　某工厂生产某种商品,年产量为 q(单位为百台),成本为 C(单位为万元),其中固定成本为 2 万元,且每生产 1 百台,成本增加 1 万元.市场上每年可以销售此种商品 4 百台,其销售收入 R 是 q 的函数

$$R(q) = 4q - \frac{1}{2}q^2, q \in [0,4]$$

问年产量为多少时,其平均利润最大?

[分析]　要知道平均利润 $\frac{L(q)}{q}$,必须知道利润函数 $L(q)$,而利润函数 = 收入函数 − 成本函数,即 $L(q) = R(q) - C(q)$.在题目中,$R(q)$ 是已知的,$C(q)$ 是未知的,因此必须先确定 $C(q)$.

解　因为固定成本为 2 万元,生产 q 单位商品的变动成本为 $1 \cdot q$ 万元.

所以成本函数　$C(q) = q + 2, q \in [0, +\infty)$

由此可得利润函数

$$L(q) = 3q - \frac{1}{2}q^2 - 2, q \in [0,4]$$

$$\overline{L}(q) = 3 - \frac{1}{2}q - \frac{2}{q}, q \in [0,4]$$

又因为　$\overline{L}'(q) = -\frac{1}{2} + \frac{2}{q^2}$

令 $\overline{L}'(q) = -\frac{1}{2} + \frac{2}{q^2} = 0$,得 $q_1 = 2, q_2 = -2$(舍去),即年产量为 2 百台时平均利润最大.

例 13　今欲制作一体积为 30 立方米的圆柱形无盖容器,其底面用钢板,侧面用铝板,若已知每平方米钢板的价格为铝板的三倍,试问如何取圆柱的高和半径,才能使造价最低?

[分析]　若侧面每平方米造价为 a 元,那么其造价为:$a \times$ 侧面积 $= a \times (\pi \times$ 直径 $\times$ 高);底面每平方米造价为 $3a$ 元,那么其造价为:$3a \times$ 底面积 $= 3a \times \pi \times$ 半径^2.

而总造价 = 侧面造价 + 底面造价.

按题目要求,求使总造价最低的高和半径.而高与半径又有以下关系式:

体积 $V = \pi \times$ 半径$^2 \times$ 高 $= 30$

解　设容器的高为 h,底面半径为 r,侧面每平方米的造价为 a 元,总造价为 y,于是

$$y = a \cdot 2\pi rh + 3a\pi r^2 \quad (0 < r < +\infty)$$

∵　$V = \pi r^2 h = 30$,解得 $h = \frac{30}{\pi r^2}$.将 h 代入总造价函数,得

$$y = \frac{60a}{r} + 3a\pi r^2 \quad (0 < r < +\infty)$$

$$y' = 6a\pi r - \frac{60a}{r^2}$$

令 $y' = 0$,得 $r = \sqrt[3]{\dfrac{10}{\pi}} \approx 1.47$,且 $r = 1.47$ 是总造价函数在定义域内唯一的驻点.

$\therefore r = 1.47$ 是总造价函数 y 的极小值点,而且也是 y 的最小值点.

当 $r = 1.47$ 时,$h = \dfrac{30}{\pi r^2} = 4.42$.

由此可知,当圆柱的底面半径为 1.47m,高为 4.42m 时,总造价最低.

四、作业及作业参考答案

(一)作业

练习

1.计算下列极限:

(1) $\lim\limits_{x \to 2}(x^2 + 6x - 5)$;

(2) $\lim\limits_{x \to 1}\dfrac{x^2 + x - 2}{x^2 - 3x + 2}$;

(3) $\lim\limits_{x \to -3}\dfrac{x^2 - 9}{x^2 + 5x + 6}$;

(4) $\lim\limits_{x \to 2}\dfrac{x^2 - x - 2}{x^2 - 3x + 2}$;

(5) $\lim\limits_{x \to 0}\dfrac{\sqrt{1-x} - 1}{x}$;

(6) $\lim\limits_{x \to 9}\dfrac{9 - x}{3 - \sqrt{x}}$.

2.求下列函数的连续区间和间断点:

(1)$f(x) = \dfrac{x^2 - 2x + 1}{x - 1}$;

(2)$f(x) = \begin{cases} \dfrac{x^2 - 4}{x - 2}, & x \neq 2 \\ 2, & x = 2 \end{cases}$

3.求下列函数的导数或微分:

(1)$y = x^2 + 2^x + \log_2 x$,求 y';

(2)$y = \dfrac{(x-1)^2}{\sqrt{x}}$,求 y';

(3)$y = \left(1 + \dfrac{1}{\sqrt{x}}\right)(1 - \sqrt{x})$,求 $\mathrm{d}y$;

(4)$y = \dfrac{ax + b}{cx + d}$,求 y';

(5)$y = \dfrac{6}{x} + \dfrac{4}{x^2} + \dfrac{3}{x^3}$,求 y'.

4.求下列函数的导数或微分:

(1)$y = \dfrac{1}{\sqrt{2 - 3x}}$,求 y';

(2) $y = \ln\sqrt{\dfrac{2x+1}{2x-1}}$,求 dy;

(3) $y = e^{\frac{1}{x}} - \sqrt{\ln x}$,求 dy;

(4) $y = \ln(x + \sqrt{1+x^2})$,求 y'.

5.求下列函数的二阶导数:

(1) $y = x^2 + 5x + 6$;

(2) $y = (1-3x)^5$.

6.求函数 $f(x) = x^2 - 2x + 2$ 的单调区间.

7.求函数 $f(x) = \dfrac{3}{4}x^{\frac{4}{3}} - x$ 的极值.

8.求函数 $f(x) = x + \sqrt{1-x}$ 在区间 $[-5,1]$ 上的最值.

应用案例

9.某商品的需求量 q 对价格 p 的函数关系为 $q(p) = 100e^{-2p}$,试求:(1)需求量 q 对于价格 p 的弹性,并做出经济解释;(2)当 $p = \dfrac{1}{2}$ 和 $p = 2$ 时的需求价格弹性.

10.设生产某种产品 q 台时的成本函数为 $C(q) = 100 + 0.25q^2 + 6q$(万元),求:(1)当 $q = 10$ 时的总成本、平均成本和边际成本;(2)当产量为多少时,可使平均成本达到最小.

11.设某厂生产某种产品的固定成本为 200(百元),每生产一件产品成本增加 5(百元),且知价格函数为 $p = 50 - \dfrac{q}{2}$(其中,p 为价格,单位为百元/件,q 为产量),求:(1)使利润达到最大时的产量;(2)最大利润.

(二)作业参考答案

练习

1.(1)11;　(2)-3;　(3)6;　(4)3;　(5)$-\dfrac{1}{2}$;　(6)6.

2.(1)连续区间为 $(-\infty,1) \bigcup (1,+\infty)$;间断点 $x = 1$.

(2)连续区间为 $(-\infty,2) \bigcup (2,+\infty)$;间断点 $x = 2$;

3.(1)$y' = 2x + 2^x\ln2 + \dfrac{1}{x\ln2}$;

(2)$y' = \dfrac{3}{2}x^{\frac{1}{2}} - x^{-\frac{1}{2}} - \dfrac{1}{2}x^{-\frac{3}{2}}$;

(3)$dy = \left(-\dfrac{1}{2}x^{-\frac{1}{2}} - \dfrac{1}{2}x^{-\frac{3}{2}}\right)dx$;

(4)$y' = \dfrac{ad - cb}{(cx+d)^2}$;

(5)$y' = -\dfrac{6}{x^2} - \dfrac{8}{x^3} - \dfrac{9}{x^4}$.

4.(1)$y' = \dfrac{3}{2}(2-3x)^{-\frac{3}{2}}$;

(2)$dy = \dfrac{-2}{4x^2-1}dx$;

(3)$\mathrm{d}y = \left(-\dfrac{\mathrm{e}^{\frac{1}{x}}}{x^2} - \dfrac{1}{2x\sqrt{\ln x}}\right)\mathrm{d}x$;

(4)$y' = \dfrac{1}{\sqrt{1+x^2}}$.

5.(1)2; (2)$180(1-3x)^3$.

6.单调递增区间是$(1,+\infty)$,单调递减区间是$(-\infty,1)$.

7.函数在 $x=1$ 处取得极小值,$f(1) = -\dfrac{1}{4}$.

8.最大值 $f\left(\dfrac{3}{4}\right) = \dfrac{5}{4}$,最小值 $f(-5) = \sqrt{6}-5$.

应用案例

9.(1)$E_p = -2p$,经济意义是:当价格上升(或下降)1% 时,需求量将下降(或上升)$2p$%;
(2)$E_{p=\frac{1}{2}} = -1, E_{p=2} = -4$.

10.(1) 当 $q=10$ 时的总成本为:$C(10) = 100 + 0.25 \times 10^2 + 6 \times 10 = 185$(万元);

当 $q=10$ 时的平均成本为:$\bar{C}(10) = \dfrac{C(10)}{10} = 18.5$(万元 / 单位);

当 $q=10$ 时的边际成本为:$C'(q)\Big|_{q=10} = \left(\dfrac{1}{2}q+6\right)\Big|_{q=10} = 11$(万元 / 单位).

(2)$\bar{C}(q) = \dfrac{100}{q} + 0.25q + 6$

$\bar{C}'(q) = -\dfrac{100}{q^2} + 0.25$

令 $\bar{C}'(q) = 0$,得 $q_1 = 20, q_2 = -20$(舍去),当产量为 20 时,可使平均成本达到最小.

11.(1) 当产量 $q=45$ 件时,可使利润达到最大; (2) 最大利润为 $L(45) = 812.5$(百元).

五、简单练习和习题的参考答案

简单练习 2.1

1.$f'(x_0) = \lim\limits_{x \to x_0} \dfrac{f(x)-f(x_0)}{x-x_0}$.

2.(1)11; (2)-1; (3)6; (4)3; (5)$-\dfrac{1}{2}$; (6)6.

3.提示:利用函数连续的定义,证明 $\lim\limits_{x \to 0} x^2 = 0 = f(0)$.

简单练习 2.2

1.(1)$y' = 6x-2$; (2)$y' = 2x + \dfrac{5}{2}x^{\frac{3}{2}}$; (3)$y' = -\dfrac{1}{2}x^{-\frac{3}{2}} - \dfrac{5}{2}x^{\frac{3}{2}}$; (4)$y' = \ln x + 1$.

2.(1)$y' = \dfrac{3}{2\sqrt{(3x-5)^3}}$; (2)$y' = 180x^3(3x^4-2)^{14}$; (3)$y' = -\dfrac{\mathrm{e}^{\frac{1}{x}}}{x^2} - \dfrac{3}{2}x^{\frac{1}{2}}$;

$(4)y' = \dfrac{x}{\sqrt{x^2 - a^2}}$；　$(5)y' = \dfrac{1}{2x-1}$；　$(6)y = 4x(3x^2+1)^{-\frac{1}{3}}$.

3. $(1)y'' = 2$；　$(2)y'' = 3 + 2\ln x$；　$(3)y'' = 2^x \ln^2 2$；　$(4)y'' = \dfrac{2 - 2x^2}{(1+x^2)^2}$.

简单练习 2.3

1. $(1)(-\infty, 0] \bigcup [2, +\infty)$；$(2)[-2, +\infty)$.

2. $(1)(-\infty, 0] \bigcup [2, +\infty)$ 是单调增加区间，$[0, 2]$ 是单调减少区间；

　$(2)(-\infty, 0)$ 是单调减少区间，$(0, +\infty)$ 是单调增加区间；

　$(3)(-\infty, 0)$，$(0, +\infty)$ 是单调减少区间.

3. (1) 极大值 $f(-1) = 6$，极小值 $f(3) = -26$；

(2) 极小值 $f(2) = 12$；

(3) 极小值 $f(-1) = -\dfrac{1}{2}$，极大值 $f(1) = \dfrac{1}{2}$；

(4) 极小值 $f(0) = 0$；

(5) 极小值 $f(0) = 0$，极大值 $f(2) = 4\mathrm{e}^{-2}$.

4. (1) 最大值 $f(4) = 16$，最小值 $f(-1) = f(2) = -4$.

(2) 最大值 $f(2) = \ln 5$，最小值 $f(0) = 0$.

简单练习 2.4

1. $E_p = \dfrac{p}{q} \cdot \dfrac{\mathrm{d}q}{\mathrm{d}p} = \dfrac{p}{\dfrac{1}{p} - 1} \cdot \left(-\dfrac{1}{p^2}\right) = -\dfrac{1}{1-p}$，$E\big|_{p=0.5} = -\dfrac{1}{1-0.5} = -2$.

2. $E_p = \dfrac{p}{q} \cdot \dfrac{\mathrm{d}q}{\mathrm{d}p} = \dfrac{p1\,200\left(\dfrac{1}{4}\right)^p \ln \dfrac{1}{4}}{1\,200\left(\dfrac{1}{4}\right)^p} = p\ln\dfrac{1}{4} = -2p\ln 2$.

3. 总成本为 $C(900) = 4 \times 900 + 2\sqrt{900} + 500 = 4\,160$（千元）

单位成本为 $\overline{C}(900) = \dfrac{C(900)}{900} = 4 + \dfrac{2}{\sqrt{900}} + \dfrac{500}{900} \approx 4.622$（千元／单位）

边际成本为 $C'(900) = 4 + \dfrac{1}{\sqrt{900}} \approx 4.033$（千元／单位）

4. 边际需求 $q'(p) = -5$，边际价格 $p'(q) = -\dfrac{1}{5}$.

5. $L(q) = 38q - q^2 - 100$，$q = 19$ 百件.

6. 生产 11 千克时利润最大，最大利润为 $L(11) = 121.333$ 万元.

7. 生产 2.5 个单位时，利润最大，最大利润为 $L(2.5) = 3.25$ 百元.

8. 做成高为 3m，底面为边长为 6m 的正方形的长方体时，用料最省.

习题 2

1. $(1)-9$；　$(2)2$；　$(3)-2$；　$(4)1$.

2. 当 $k = -1$ 时，函数 $f(x) = \begin{cases} x^2 - 1, & x \neq 0 \\ k, & x = 0 \end{cases}$ 在 $x = 0$ 处连续.

3.(1)$(-\infty,2)\bigcup(2,+\infty)$; (2)$(-\infty,1)\bigcup(1,+\infty)$.

4.(1)$y'=6x+3^x\ln3-\mathrm{e}^x$; (2)$\mathrm{d}y=(2x+x^2)\mathrm{e}^x\mathrm{d}x$; (3)$y'=\dfrac{1}{2(x-\sqrt{x})}$;

(4)$y'=2x2^{x^2}\ln2-\sqrt{\mathrm{e}^{-2x}}$; (5)$\mathrm{d}y=\dfrac{3}{2\sqrt{(2-3x)^3}}\mathrm{d}x$;

(6)$y'=\dfrac{2+x-4x^2}{\sqrt{1-x^2}}$.

5.(1)$y''=12x^2-30x+4$; (2)$y''=-\dfrac{1}{(1+x)^2}$.

6.单调增加区间为$(-\infty,0)$,单调减少区间为$(0,+\infty)$.

7.极小值 $f(0)=0$;极大值 $f(2)=\dfrac{4}{\mathrm{e}^2}$.

8.(1) 最大值 $f(1)=-15$,最小值 $f(3)=-47$.

(2) 最大值 $f\left(-\dfrac{1}{2}\right)=f(1)=\dfrac{1}{2}$,最小值 $f(0)=0$.

9.生产产品 250 个单位时,利润最大,最大利润为 650(万元).

10.当矩形的长和宽都是 50 米时,围成的面积最大.

第3章 生产效率与偏导数

一、本章主要内容

(一) 主要概念

1. 区域：

一般地，将平面上由一条曲线或几条曲线围成的部分，叫做平面区域，或称为**区域**.

围成区域的曲线称为区域的边界. 不包括边界上任何点的区域称为开区域，包括全部边界的区域称为闭区域，包括部分边界的区域称为半开半闭区域.

被包含在某一个以原点为圆心，半径充分大（但为有限数）的圆周内的区域，称为有界区域，否则称为无界区域.

2. 邻域：

设 $P_0(x_0, y_0)$ 为 xy 平面上的一个定点，δ 为一正数，则以 P_0 为圆心，δ 为半径的开圆区域

$$D_\delta = \{(x,y) \mid (x-x_0)^2 + (y-y_0)^2 < \delta^2\}$$

称为点 P_0 的 δ 邻域.

3. 二元函数：

设 D 为 xy 平面上的一个区域，如果对 D 中的任意一点 (x,y)，按照某种规则 f，都有唯一确定的数值 z 与点 (x,y) 对应，则称变量 z 是变量 x 和 y 的**二元函数**，记作

$$z = f(x,y), \quad (x,y) \in D$$

其中，x 和 y 称为自变量，z 称为因变量，区域 D 称为函数 $z = f(x,y)$ 的定义域.

4. 齐次函数：

设函数 $z = f(x,y)$ 的定义域为 D，且当 $(x,y) \in D$ 时，对任意 $\lambda \in \mathbf{R}$，仍有 $(\lambda x, \lambda y) \in D$. 如果存在常数 k，使得对任意的 $(x,y) \in D$，恒有

$$f(\lambda x, \lambda y) = \lambda^k f(x,y)$$

则称函数 $z = f(x,y)$ 为 k 次**齐次函数**.

当 $k = 1$ 时，叫做线性齐次函数.

5. 极限：

设函数 $z = f(x,y)$ 在点 (x_0, y_0) 的某个邻域内有定义（点 (x_0, y_0) 可以除外），(x,y) 是该邻域内的任意一点. 当点 (x,y) 以任何方式无限趋近于点 (x_0, y_0) 时，函数 $f(x,y)$ 就无限趋近于一个确定的常数 A，则称 A 是函数 $f(x,y)$ 当 $x \to x_0, y \to y_0$ 时的**极限**，记作

$$\lim_{\substack{x \to x_0 \\ y \to y_0}} f(x,y) = A \text{ 或 } f(x,y) \to A, \text{当 } x \to x_0, y \to y_0.$$

6. 连续性：

设函数 $z = f(x, y)$ 在点 (x_0, y_0) 的某个邻域内有定义，如果满足：

$$\lim_{\substack{x \to x_0 \\ y \to y_0}} f(x, y) = f(x_0, y_0)$$

则称 $z = f(x, y)$ 在点 (x_0, y_0) 处连续，点 (x_0, y_0) 称为 $z = f(x, y)$ 的**连续点**.

若 $z = f(x, y)$ 在点 (x_0, y_0) 处不连续，则称 $z = f(x, y)$ 在点 (x_0, y_0) 处**间断**，点 (x_0, y_0) 称为 $z = f(x, y)$ 的**间断点**.

7. 偏导数：

设函数 $z = f(x, y)$ 在点 (x_0, y_0) 的某个邻域内有定义. 若固定 y_0 后，极限

$$\lim_{\Delta x \to 0} \frac{f(x_0 + \Delta x, y_0) - f(x_0, y_0)}{\Delta x}$$

存在，则称此极限为函数 $z = f(x, y)$ 在点 (x_0, y_0) 处关于自变量 x 的**偏导数**，记作 $f'_x(x_0, y_0)$，或 $\dfrac{\partial f(x_0, y_0)}{\partial x}$，$z'_x(x_0, y_0)$，$\dfrac{\partial z}{\partial x}\Big|_{(x_0, y_0)}$.

类似地，函数 $z = f(x, y)$ 在点 (x_0, y_0) 处关于 y 的**偏导数**，定义为下列极限

$$\lim_{\Delta y \to 0} \frac{f(x_0, y_0 + \Delta y) - f(x_0, y_0)}{\Delta y}$$

记作 $f'_y(x_0, y_0)$，或 $\dfrac{\partial f(x_0, y_0)}{\partial y}$，$z'_y(x_0, y_0)$，$\dfrac{\partial z}{\partial y}\Big|_{(x_0, y_0)}$.

如果函数 $z = f(x, y)$ 在区域 D 内每一点的偏导数 $f'_x(x, y)$，$f'_y(x, y)$ 都存在，则称函数 $z = f(x, y)$ 在区域 D 内偏导数存在，记作

$$f'_x \text{ 或 } \frac{\partial f(x, y)}{\partial x}, \frac{\partial z}{\partial x}, z'_x; \quad f'_y \text{ 或 } \frac{\partial f(x, y)}{\partial y}, \frac{\partial z}{\partial y}, z'_y.$$

8. 边际产量：

设某企业生产某种产品的产量 Q 与投入的劳动力 L 和资金 K 的生产函数为 $Q = Q(L, K)$. 那么：

产量 $Q(L, K)$ 对劳动力 L 的偏导数 $Q'_L(L, K)$，称为 $Q(L, K)$ 对劳动力 L 的边际产量. 其经济意义是：$Q'_L(L, K)$ 近似等于在投入劳动力 L 和资本 K 的基础上，再多投入一个单位的劳动力所增加的产量.

产量 $Q(L, K)$ 对资金 K 的偏导数 $Q'_K(L, K)$，称为 $Q(L, K)$ 对资金 K 的边际产量. 它近似等于在投入劳动力 L 和资本 K 的基础上，再多投入一个单位的资本所增加的产量.

9. 边际成本：

设某企业生产 A，B 两种产品，产量分别为 q_1, q_2 时的总成本函数为 $C = C(q_1, q_2)$，那么：

偏导数 $C'_{q_1}(q_1, q_2)$ 表示总成本 $C(q_1, q_2)$ 对产量 q_1 的边际成本，其经济意义是：$C'_{q_1}(q_1, q_2)$ 近似等于在两种产品的产量为 (q_1, q_2) 的基础上，再多生产一个单位的 A 产品所需增加的成本.

偏导数 $C'_{q_2}(q_1, q_2)$ 表示总成本 $C(q_1, q_2)$ 对产量 q_2 的边际成本，它近似等于在两种产品的产量为 (q_1, q_2) 的基础上，再多生产一个单位的 B 产品所需增加的成本.

10. 边际需求：

设有 A,B 两种相关的商品，它们的价格分别为 p_1 和 p_2，而需求量分别为 q_1 和 q_2. 它们的需求函数为 $q_1 = q_1(p_1, p_2)$，$q_2 = q_2(p_1, p_2)$，则：

$\dfrac{\partial q_1}{\partial p_1}$ 是 A 商品的需求量 q_1 关于自身价格 p_1 的边际需求，它表示 A 商品的价格 p_1 发生变化时，A 商品需求量 q_1 的变化率；

$\dfrac{\partial q_1}{\partial p_2}$ 是 A 商品的需求量 q_1 关于相关商品 B 的价格 p_2 的边际需求，它表示 B 商品的价格 p_2 发生变化时，A 商品需求量 q_1 的变化率；

类似地，$\dfrac{\partial q_2}{\partial p_1}$ 是需求量 q_2 对相关价格 p_1 的边际需求，$\dfrac{\partial q_2}{\partial p_2}$ 是需求量 q_2 对自身价格 p_2 的边际需求.

11. 极值与极值点：

设函数 $z = f(x, y)$ 在点 $M_0(x_0, y_0)$ 的一个邻域有定义，如果在此邻域内异于点 $M_0(x_0, y_0)$ 的任何点 $M(x, y)$，都有

$$f(x, y) < f(x_0, y_0) \quad (\text{或 } f(x, y) > f(x_0, y_0))$$

则称 $f(x_0, y_0)$ 是函数 $z = f(x, y)$ 的**极大值**（或**极小值**），并称点 $M_0(x_0, y_0)$ 为函数 $z = f(x, y)$ 的**极大值点**（或**极小值点**）.

函数的极大值和极小值统称为函数的**极值**. 极大值点和极小值点统称为**极值点**.

12. 驻点：

使得函数 $z = f(x, y)$ 的一阶偏导数均为零的点，即

$$f_x'(x_0, y_0) = 0, f_y'(x_0, y_0) = 0$$

称为该函数的驻点.

13. 最值与最值点：

设函数 $z = f(x, y)$ 是定义在区域 D 上的二元连续函数，点 $(x_0, y_0) \in D$. 如果对任意的 $(x, y) \in D$，不等式

$$f(x, y) \leqslant f(x_0, y_0) \quad (\text{或 } f(x, y) \geqslant f(x_0, y_0))$$

总成立，则称 $f(x_0, y_0)$ 为函数 $z = f(x, y)$ 在区域 D 上的**最大值**（或**最小值**），点 (x_0, y_0) 为 $z = f(x, y)$ 在区域 D 上的**最大值点**（或**最小值点**）.

最大值与最小值统称为**最值**，最小值点与最大值点统称为**最值点**.

（二）主要定理

定理 3.1　　如果函数 $z = f(x, y)$ 的两个二阶混合偏导数 z_{xy}''，z_{yx}'' 都连续，则有 $z_{xy}'' = z_{yx}''$.

定理 3.2　　（极值存在的必要条件）设函数 $z = f(x, y)$ 在点 (x_0, y_0) 的一个邻域有定义且存在一阶偏导数，如果点 (x_0, y_0) 是函数的极值点，则有

$$f_x'(x_0, y_0) = 0, f_y'(x_0, y_0) = 0$$

定理 3.3　　（极值存在的充分条件）设函数 $z = f(x, y)$ 在点 (x_0, y_0) 的一个邻域内有连续的

二阶偏导数,且点 (x_0,y_0) 是驻点,即 $f'_x(x_0,y_0)=0,f'_y(x_0,y_0)=0$,记

$$A=\frac{\partial^2}{\partial x^2}f(x_0,y_0),B=\frac{\partial^2}{\partial x\partial y}f(x_0,y_0),C=\frac{\partial^2}{\partial y^2}f(x_0,y_0)$$

(1) 如果 $B^2-AC<0$,则 $z=f(x,y)$ 在点 (x_0,y_0) 处取得极值,且
当 $A<0$ 时,$f(x_0,y_0)$ 是函数 $z=f(x,y)$ 的极大值;
当 $A>0$ 时,$f(x_0,y_0)$ 是函数 $z=f(x,y)$ 的极小值.
(2) 如果 $B^2-AC>0$,则 $f(x_0,y_0)$ 一定不是极值.
(3) 如果 $B^2-AC=0$,则不能确定 $f(x_0,y_0)$ 是不是极值.

(三) 主要公式

1. 柯布 — 道格拉斯生产函数:

$$Q=AL^\alpha K^\beta$$

其中:$A>0$ 为规模参数,α,β 为正常数.柯布 — 道格拉斯生产函数是 $\alpha+\beta$ 次齐次函数.当 $\alpha+\beta=1$ 时,叫做线性齐次函数.

2. 函数 $z=f(x,y)$ 的二阶偏导数分别记作:

$$\frac{\partial^2 f(x,y)}{\partial x^2}=\frac{\partial}{\partial x}\left(\frac{\partial f(x,y)}{\partial x}\right),\text{或}\frac{\partial^2 z}{\partial x^2},f''_{xx},z''_{xx}$$

$$\frac{\partial^2 f(x,y)}{\partial y\partial x}=\frac{\partial}{\partial x}\left(\frac{\partial f(x,y)}{\partial y}\right),\text{或}\frac{\partial^2 z}{\partial y\partial x},f''_{yx},z''_{yx}$$

$$\frac{\partial^2 f(x,y)}{\partial x\partial y}=\frac{\partial}{\partial y}\left(\frac{\partial f(x,y)}{\partial x}\right),\text{或}\frac{\partial^2 z}{\partial x\partial y},f''_{xy},z''_{xy}$$

$$\frac{\partial^2 f(x,y)}{\partial y^2}=\frac{\partial}{\partial y}\left(\frac{\partial f(x,y)}{\partial y}\right),\text{或}\frac{\partial^2 z}{\partial y^2},f''_{yy},z''_{yy}$$

其中:$\frac{\partial^2 f(x,y)}{\partial x\partial y},\frac{\partial^2 f(x,y)}{\partial y\partial x}$ 称为混合偏导数.

3. 求回归方程 $\hat{y}=\hat{a}+\hat{b}x$ 中的回归常数 $\hat{a}$ 和回归系数 $\hat{b}$ 的公式:

$$\begin{cases}\hat{b}=\dfrac{\sum\limits_{i=1}^{n}(x_i-\bar{x})(y_i-\bar{y})}{\sum\limits_{i=1}^{n}(x_i-\bar{x})^2}\\\hat{a}=\bar{y}-\hat{b}x\end{cases}$$

或

$$\begin{cases}\hat{b}=\dfrac{l_{xy}}{l_{xx}}\\\hat{a}=\bar{y}-\hat{b}x\end{cases}$$

其中,$l_{xx}=\sum\limits_{i=1}^{n}(x_i-\bar{x})^2,l_{xy}=\sum\limits_{i=1}^{n}(x_i-\bar{x})(y_i-\bar{y})$.

二、解题方法

1. 求二元函数的定义域,应该从两个方面考虑:

如果函数是从实际问题中提出的,其定义域应根据实际问题的具体情况来确定;如果函数是单纯的数学式子,其定义域是使函数有意义的自变量的值的全体.

根据函数式的各种结构形式,求定义域时,应注意以下几点:

(1) 分式形式,分母不能为零;

(2) 偶次根式,根号内的值应当非负;

(3) 对数形式,真数应当为正,底数大于 0 且不等于 1.

如果函数是由以上基本形式组合而成,则先分别求出各部分的定义域,然后取它们的公共部分.

2. 求偏导数的方法:

由偏导数的定义可知,函数 $z = f(x,y)$ 在点 (x_0,y_0) 处的偏导数就是函数在点 (x_0,y_0) 处沿 x 轴或 y 轴方向的瞬时变化率,即

$$f'_x(x_0,y_0) = \frac{\mathrm{d}}{\mathrm{d}x}f(x,y_0)\bigg|_{x=x_0} \;;f'_y(x_0,y_0) = \frac{\mathrm{d}}{\mathrm{d}y}f(x_0,y)\bigg|_{y=y_0}$$

由此可知,求二元函数 $z = f(x,y)$ 关于 x 的偏导数 $f'_x(x,y)$,就是把 y 当作一个不变的常量,把 x 当作变量,这样就将函数 $z = f(x,y)$ 当作 x 的"一元函数",利用一元函数求导方法,对 $z = f(x,y)$ 进行求导,就能求出偏导数 $f'_x(x,y)$.同理,求 $z = f(x,y)$ 关于 y 的偏导数时,把 x 当作一个不变的常量,把 y 当作变量,对 $z = f(x,y)$ 进行求导,就能求出偏导数 $f'_y(x,y)$.

3. 极值判别法:

设函数 $z = f(x,y)$ 在点 (x_0,y_0) 的一个邻域内有连续的二阶偏导数,且点 (x_0,y_0) 是驻点,即 $f'_x(x_0,y_0) = 0, f'_y(x_0,y_0) = 0$,记

$$A = \frac{\partial^2}{\partial x^2}f(x_0,y_0), B = \frac{\partial^2}{\partial x \partial y}f(x_0,y_0), C = \frac{\partial^2}{\partial y^2}f(x_0,y_0)$$

(1) 如果 $B^2 - AC < 0$,则 $z = f(x,y)$ 在点 (x_0,y_0) 处取得极值,且

当 $A < 0$ 时,$f(x_0,y_0)$ 是函数 $z = f(x,y)$ 的极大值;

当 $A > 0$ 时,$f(x_0,y_0)$ 是函数 $z = f(x,y)$ 的极小值.

(2) 如果 $B^2 - AC > 0$,则 $f(x_0,y_0)$ 一定不是极值.

(3) 如果 $B^2 - AC = 0$,则不能确定 $f(x_0,y_0)$ 是不是极值.

4. 拉格朗日乘数法的步骤:

(1) 作辅助函数,令函数(称为拉格朗日函数)

$$F(x,y,\lambda) = f(x,y) + \lambda\varphi(x,y)$$

(2) 求可能的极值点,即解方程组

$$\begin{cases} F'_x = f'_x(x,y) + \lambda \varphi'_x(x,y) = 0 \\ F'_y = f'_y(x,y) + \lambda \varphi'_y(x,y) = 0 \\ F'_\lambda = \varphi(x,y) = 0 \end{cases}$$

解出 (x,y,λ)，则 (x,y) 是原来的条件极值问题可能的极值点．

5. 求回归方程 $\hat{y} = \hat{a} + \hat{b}x$ 中回归常数 $\hat{a}$ 和回归系数 $\hat{b}$：

一般采用列表（如表 3—1）的方法计算．

表 3—1

序号 i	x_i	y_i	x_i^2	$x_i y_i$	y_i^2
1	x_1	y_1	x_1^2	$x_1 y_1$	y_1^2
2	x_2	y_2	x_2^2	$x_2 y_2$	y_2^2
$\vdots$	$\vdots$	$\vdots$	$\vdots$	$\vdots$	$\vdots$
n	x_n	y_n	x_n^2	$x_n y_n$	y_n^2
	$\sum\limits_{i=1}^{n} x_i$	$\sum\limits_{i=1}^{n} y_i$	$\sum\limits_{i=1}^{n} x_i^2$	$\sum\limits_{i=1}^{n} x_i y_i$	$\sum\limits_{i=1}^{n} y_i^2$

计算 $\bar{x} = \dfrac{1}{n}\sum\limits_{i=1}^{n} x_i, \bar{y} = \dfrac{1}{n}\sum\limits_{i=1}^{n} y_i,$

$$l_{xy} = \sum_{i=1}^{n} x_i y_i - n\bar{x}\bar{y}, l_{xx} = \sum_{i=1}^{n} x_i^2 - n\bar{x}^2$$

再计算 $\hat{b} = \dfrac{l_{xy}}{l_{xx}}, \hat{a} = \bar{y} - \hat{b}\,\bar{x},$

最后得回归方程 $\hat{y} = \hat{a} + \hat{b}\,x.$

三、例题解析

例 1 求二元函数 $z = \ln \sqrt{x - \sqrt{y}}$ 的定义域．

解 要使开方有意义，根号内的值应该非负，即要求

$$y \geqslant 0, 且 \ x - \sqrt{y} \geqslant 0, 即 \ x \geqslant \sqrt{y}$$

又因为 $\sqrt{x - \sqrt{y}}$ 是对数式的真数，由对数的要求，真数应该大于零，即 $x > \sqrt{y}$. 所以，函数 z 的定义域为

$$\{(x,y) \mid x > \sqrt{y}, y \geqslant 0\}$$

例 2 证明函数

$$f(x,y) = x^5 e^{-\frac{y}{x}}$$

为齐次函数，并说明它是几次齐次函数．

[分析]　按照齐次函数的定义:"若对任意 $\lambda \in \mathbf{R}$,如果存在常数 k,使得对任意的 $(x,y) \in D$,恒有

$$f(\lambda x, \lambda y) = \lambda^k f(x,y)$$

则称函数 $z = f(x,y)$ 为 k 次齐次函数",进行验证.

证明　因为函数 $f(x,y) = x^5 \mathrm{e}^{\frac{y}{x}}$ 的定义域 $D = \{(x,y) \mid -\infty < x < 0 \bigcup 0 < x < +\infty,$ $-\infty < y < +\infty\}$,对任意 $\lambda \in \mathbf{R}$,由

$$f(\lambda x, \lambda y) = (\lambda x)^5 \mathrm{e}^{\frac{\lambda y}{\lambda x}} = \lambda^5 x^5 \mathrm{e}^{-\frac{y}{x}} = \lambda^5 f(x,y)$$

所以,函数 $f(x,y) = x^5 \mathrm{e}^{-\frac{y}{x}}$ 为齐次函数,且是 5 次齐次函数.

例 3　设 $z = x^y (x > 0)$,求 $\dfrac{\partial z}{\partial x}, \dfrac{\partial z}{\partial y}$.

[分析]　求 $\dfrac{\partial z}{\partial x}$ 时,将函数 $z = x^y$ 中的 y 看作常数,那么 z 可以认为是自变量 x 的幂函数,利用一元函数求幂函数导数的方法求之.

求 $\dfrac{\partial z}{\partial y}$ 时,将函数 $z = x^y$ 中的 x 看作常数,那么 z 可以认为是自变量 y 的指数函数,利用一元函数求指数函数导数的方法求之.

解　$\dfrac{\partial z}{\partial x} = (x^y)'_x = y x^{y-1}$,

$\dfrac{\partial z}{\partial y} = (x^y)'_y = x^y \ln x$.

例 4　设 $z = \mathrm{e}^{x^2 y}$,求 $\dfrac{\partial z}{\partial x}\bigg|_{(1,2)}, \dfrac{\partial z}{\partial y}\bigg|_{(1,2)}$.

[分析]　分别把 y 和 x 当作常数,将函数 $z = \mathrm{e}^{x^2 y}$ 看作 x 或 y 的一元函数,然后利用一元函数微分法对 x 或对 y 求导,再代入点 $(1,2)$,求出偏导数值.

解　因为　$\dfrac{\partial z}{\partial x} = \mathrm{e}^{x^2 y} \cdot \dfrac{\partial}{\partial x}(x^2 y) = 2xy \mathrm{e}^{x^2 y}$,

$\dfrac{\partial z}{\partial y} = \mathrm{e}^{x^2 y} \cdot \dfrac{\partial}{\partial y}(x^2 y) = x^2 \mathrm{e}^{x^2 y}$,

所以,　$\dfrac{\partial z}{\partial x}\bigg|_{(1,2)} = (2xy \mathrm{e}^{x^2 y})\bigg|_{(1,2)} = 4\mathrm{e}^2$,

$\dfrac{\partial z}{\partial y}\bigg|_{(1,2)} = (x^2 \mathrm{e}^{x^2 y})\bigg|_{(1,2)} = \mathrm{e}^2$.

例 5　正方轮胎公司是一家规模较小的轮胎生产商,其生产函数为

$$Q = 25\,100 K^{0.5} L^{0.5}$$

在上一个生产期,企业的经营是高效率的,资本和劳动力的投入量分别为 100 和 25,问此时的资本和劳动力的边际产量是多少?

[分析]　因为产量 $Q(K,L)$ 对资本 K 的偏导数 $Q'_K(K,L)$ 是 Q 对资本 K 的边际产量,而产

量 $Q(K,L)$ 对劳动力 L 的偏导数 $Q'_L(K,L)$ 是 Q 对劳动力 L 的边际产量. 所以, 先求偏导数 $Q'_K(K,L)$ 和 $Q'_L(K,L)$, 再将 $K = 100$ 和 $L = 25$ 分别代入两个偏导数, 就可得到本问题的解.

解 因为 $\quad Q'_K(K,L) = (25\,100K^{0.5}L^{0.5})'_K = 12\,550K^{-0.5}L^{0.5}$

$$Q'_L(K,L) = (25\,100K^{0.5}L^{0.5})'_L = 12\,550K^{0.5}L^{-0.5}$$

所以, 当资本和劳动力的投入量分别为 100 和 25 时, 资本和劳动力的边际产量分别是:

$$Q'_K(100,25) = 12\,550 \times 100^{-0.5} \times 25^{0.5} = 6\,275$$

$$Q'_L(100,25) = 12\,550 \times 100^{0.5} \times 25^{-0.5} = 25\,100$$

例 6 某公司生产两种产品 X 和 Y. 假定这两种产品的市场价格不受这个公司产量的影响, 而该公司的成本函数是 $C(q_1,q_2) = 2q_1{}^2 + q_1q_2 + 2q_2{}^2$, 产品的市场价格分别是产品 X 为 12 万元/单位, 产品 Y 为 18 万元/单位. 试决定生产每种产品的数量, 以保证获得最大利润.

[分析] 为了决定获得最大利润的产品数量, 首先要求出生产这两种产品的收益函数 $R(q_1,q_2)$, 并写出生产这两种产品的利润函数 $L(q_1,q_2)$, 即利润函数 $L(q_1,q_2) =$ 收益函数 $R(q_1,q_2) -$ 成本函数 $C(q_1,q_2)$. 然后利用求最值的方法, 确定获得最大利润的产品数量.

解 因为收益函数

$$R(q_1,q_2) = 12q_1 + 18q_2$$

则利润函数

$$\begin{aligned}L(q_1,q_2) &= R(q_1,q_2) - C(q_1,q_2)\\ &= 12q_1 + 18q_2 - (2q_1{}^2 + q_1q_2 + 2q_2{}^2)\\ &= 12q_1 + 18q_2 - 2q_1^2 - q_1q_2 - 2q_2^2\end{aligned}$$

由极值的必要条件得方程组

$$\begin{cases} L'_{q_1} = 12 - 4q_1 - q_2 = 0 \\ L'_{q_2} = 18 - q_1 - 4q_2 = 0 \end{cases}$$

解方程组, 得驻点 $(q_1,q_2) = (2,4)$.

由于利润函数的驻点唯一, 故当产品 X 的产量为 2 个单位, 产品 Y 的产量为 4 个单位时利润最大. 最大利润为

$$\begin{aligned}L(2,4) &= 12 \times 2 + 18 \times 4 - (2 \times 2^2 + 2 \times 4 + 2 \times 4^2)\\ &= 48（万元）\end{aligned}$$

例 7 设生产某产品的数量 Q 与所用 A, B 两种原材料的数量 x, y 之间有以下关系:

$$Q = f(x,y) = 0.005x^2y$$

假定 A, B 两种原材料的单价分别是 1 元和 2 元, 如果用 150 元购买原材料, 问 A, B 各买多少, 能使得生产函数的产量 Q 最大? 这个最大产量是多少?

[分析] 本题是条件极值问题, 需要用拉格朗日乘数法求解. 拉格朗日乘数法的步骤是: 首先作辅助函数 (即拉格朗日函数)

$$F(x,y,\lambda) = f(x,y) + \lambda\varphi(x,y)$$

然后利用极值的必要条件求可能的极值点 (x,y,λ),则 (x,y) 是原来的条件极值问题可能的极值点.

解　因为 A,B 两种原材料的单价分别是 1 元和 2 元,现用 150 元购买原材料,故约束条件是

$$x + 2y = 150$$

作辅助函数

$$F(x,y,\lambda) = f(x,y) + \lambda\varphi(x,y) = 0.005x^2 y + \lambda(x + 2y - 150)$$

求偏导数令其为零,得

$$\begin{cases} \dfrac{\partial F}{\partial x} = 0.01xy + \lambda = 0 \\[2mm] \dfrac{\partial F}{\partial y} = 0.005x^2 + 2\lambda = 0 \\[2mm] \dfrac{\partial F}{\partial \lambda} = x + 2y - 150 = 0 \end{cases}$$

由方程组的前两式解得:$0.005x(x - 4y) = 0$,即 $x = 4y$. 代入方程组的第三式,得

$$\begin{cases} x = 100 \\ y = 25 \end{cases}$$

即原问题的驻点为 $(x,y) = (100,25)$.因为驻点惟一,所以 $(100,25)$ 就是原问题的最大值点.即 A,B 两种原材料各买 100 个单位和 25 个单位时,生产函数的产量 Q 最大.最大产量是

$$Q(100,25) = 0.005 \times 100^2 \times 25 = 1\,250$$

例 8　某种合金钢的抗拉强度 y 与钢的含碳量 x 有关.今测得 8 组数据,计算得

$$\sum_{i=1}^{8} x_i = 53, \sum_{i=1}^{8} y_i = 228$$

$$\sum_{i=1}^{8} x_i^2 = 478, \sum_{i=1}^{8} x_i y_i = 1\,849, \sum_{i=1}^{8} y_i^2 = 7\,809.5$$

试求 y 对 x 的回归直线方程.

[分析]　因为本题已经给出了 $\sum_{i=1}^{8} x_i = 53$,$\sum_{i=1}^{8} y_i = 228$,$\sum_{i=1}^{8} x_i^2 = 478$,$\sum_{i=1}^{8} x_i y_i = 1\,849$,所以,首先由已知条件计算 $x,\bar{y},l_{xx},l_{xy}$,然后利用公式求出 $\hat{a},\hat{b}$,最后写出 y 对 x 的回归直线方程.

解　因为 $x = \dfrac{1}{8} \times \sum_{i=1}^{8} x_i = \dfrac{53}{8}$,$\bar{y} = \dfrac{1}{8} \times \sum_{i=1}^{8} y_i = \dfrac{228}{8}$

$$l_{xx} = \sum_{i=1}^{8} x_i^2 - \frac{1}{8} \times (\sum_{i=1}^{8} x_i)^2 = 478 - \frac{1}{8} \times 53^2 = \frac{1\,015}{8}$$

$$l_{xy} = \sum_{i=1}^{8} x_i y_i - \frac{1}{8} \times \sum_{i=1}^{8} x_i \sum_{i=1}^{8} y_i = 1\,849 - \frac{1}{8} \times 53 \times 228 = 338.5$$

由公式得

$$\hat{b} = \frac{l_{xy}}{l_{xx}} = \frac{338.5 \times 8}{1\,015} \approx 2.668$$

$$\hat{a} = \bar{y} - \hat{b}\,x = \frac{228}{8} - 2.668 \times \frac{53}{8} \approx 10.824\,5$$

故回归直线方程为

$$\hat{y} = 10.824\,5 + 2.668x$$

例 9 设有两种商品 X_1、X_2,对它们的需求量 q_1、q_2 是两种商品 X_1、X_2 的价格 p_1、p_2 的函数(通常叫做需求函数):

$$q_1 = 8 - p_1 + 2p_2, \quad q_2 = 10 + 2p_1 - 5p_2$$

而生产这两种商品的总费用(叫做成本函数)为

$$C = 3q_1 + 2q_2$$

问这两种商品 X_1、X_2 的价格 p_1、p_2 分别为多少时,可以获得最大利润?

[**分析**] 为了确定获得最大利润的两种商品的价格 p_1,p_2,首先要通过已知的需求函数求出销售这两种商品的收益函数 $R(q_1,q_2)$,然后写出销售这两种商品的利润函数 $L(q_1,q_2)$,再利用求最值的方法确定获得最大利润的需求量 q_1,q_2,最后由需求函数得到获得最大利润的这两种商品的价格.

解 由需求函数的联立方程组

$$\begin{cases} q_1 = 8 - p_1 + 2p_2 \\ q_2 = 10 + 2p_1 - 5p_2 \end{cases}$$

得出两种商品的价格 p_1,p_2 的表达式:

$$p_1 = 60 - 5q_1 - 2q_2, \quad p_2 = 26 - 2q_1 - q_2$$

那么销售这两种商品的收益函数为

$$\begin{aligned} R(q_1,q_2) &= p_1q_1 + p_2q_2 = (60 - 5q_1 - 2q_2)q_1 + (26 - 2q_1 - q_2)q_2 \\ &= 60q_1 + 26q_2 - 4q_1q_2 - 5q_1^2 - q_2^2 \end{aligned}$$

利润函数为

$$\begin{aligned} L(q_1,q_2) &= R(q_1,q_2) - C(q_1,q_2) \\ &= 57q_1 + 24q_2 - 4q_1q_2 - 5q_1^2 - q_2^2 \end{aligned}$$

由极值的必要条件得方程组

$$\begin{cases} L'_{q_1} = 57 - 4q_2 - 10q_1 = 0 \\ L'_{q_2} = 24 - 4q_1 - 2q_2 = 0 \end{cases}$$

解方程组,得驻点 $(q_1,q_2) = \left(\dfrac{9}{2}, 3\right)$.

由于利润函数的驻点惟一,故当商品 X_1 的销量为 $\frac{9}{2}$ 个单位,商品 X_2 的销量为 3 个单位时利润最大.此时的商品价格分别为:

$$p_1\left(\frac{9}{2},3\right) = 60 - 5 \times \frac{9}{2} - 2 \times 3 = 31.5$$

$$p_2\left(\frac{9}{2},3\right) = 26 - 2 \times \frac{9}{2} - 3 = 14$$

例 10　求教材第 3 章中"人多未必好办事"案例中的转盘生产函数.

[**分析**]　在教材第 3 章中,我们把案例中的转盘生产函数看作一次函数(直线方程),并用最小二乘法求出了回归直线方程.通过该一次函数计算相关点的函数值,与案例中的数值拟合的不好.如果把第 3 章中图 3—5 中的曲线看作是一条二次曲线,用二次函数进行拟合,即求二元回归方程,拟合效果更好.

解　由教材中图 3—5 易见,该案例中的 8 个点的联系类似于一条二次曲线.故可认为在加工的机床数为 4 台时,工人数 L 与总产量 Q 之间有关系式:

$$Q(L,4) = \hat{a}L^2 + \hat{b}L + \hat{c}$$

令 $S = L^2$,则

$$Q = \hat{a}S + \hat{b}L + \hat{c}$$

因此,可以用最小二乘法求这一回归方程.

二元线性回归方程的回归系数 $\hat{a}$,$\hat{b}$ 和常数 $\hat{c}$ 的计算公式如下:

$$\begin{cases} \hat{a} = \dfrac{l_{1Q}l_{22} - l_{12}l_{2Q}}{l_{11}l_{22} - l_{12}l_{21}} \\[2mm] \hat{b} = \dfrac{l_{2Q}l_{11} - l_{21}l_{1Q}}{l_{11}l_{22} - l_{12}l_{21}} \\[2mm] \hat{c} = \overline{Q} - \hat{a}\,\overline{S} - \hat{b}\,\overline{L} \end{cases}$$

其中,$\overline{S} = \dfrac{1}{n}\sum_{j=1}^{n} S_j$,$\overline{L} = \dfrac{1}{n}\sum_{j=1}^{n} L_j$,$\overline{Q} = \dfrac{1}{n}\sum_{j=1}^{n} Q_j$;

$$l_{11} = \sum_{j=1}^{n} (S_j - \overline{S})^2 = \sum_{j=1}^{n} S_j^2 - n\overline{S}^2,$$

$$l_{12} = l_{21} = \sum_{j=1}^{n} (S_j - \overline{S})(L_j - \overline{L}) = \sum_{j=1}^{n} S_j L_j - n\overline{S}\,\overline{L},$$

$$l_{22} = \sum_{j=1}^{n} (L_j - \overline{L})^2 = \sum_{j=1}^{n} L_j^2 - n\overline{L}^2,$$

$$l_{1Q} = \sum_{j=1}^{n} (S_j - \overline{S})(Q - \overline{Q}) = \sum_{j=1}^{n} S_j Q_j - n\overline{S}\,\overline{Q},$$

$$l_{2Q} = \sum_{j=1}^{n} (L_j - \overline{L})(Q - \overline{Q}) = \sum_{j=1}^{n} L_j Q_j - n\overline{L}\,\overline{Q}.$$

然后,列表计算 S_j^2,L_j^2,$S_j Q_j$,$L_j Q_j$,见表 3—2.

表 3—2 转盘生产函数回归方程计算表

序号 j	$S_j(L_j^2)$	L_j	Q_j	S_j^2	$S_j L_j$	$S_j Q_j$	$L_j Q_j$
1	16	4	28	256	64	448	112
2	25	5	42	625	125	1 025	210
3	36	6	54	1 296	216	1 944	324
4	49	7	63	2 401	343	3 087	441
5	64	8	70	4 096	512	4 480	560
6	81	9	74	6 561	729	5 994	666
7	100	10	74	10 000	1 000	7 400	740
8	121	11	71	14 641	1 331	8 591	781
$\sum$	492	60	476	39 876	4 320	32 969	3 834

再计算回归系数和常数. 因为

$$l_{11} = \sum_{j=1}^{8} S_j^2 - 8 \times \overline{S}^2 = 39\,876 - \frac{1}{8} \times 492^2 = 9\,618,$$

$$l_{12} = l_{21} = \sum_{j=1}^{8} S_j L_j - 8 \times \overline{SL} = 4\,320 - \frac{1}{8} \times 492 \times 60 = 630,$$

$$l_{22} = \sum_{j=1}^{8} L_j^2 - 8 \times \overline{L}^2 = 492 - \frac{1}{8} \times 60^2 = 42,$$

$$l_{1Q} = \sum_{j=1}^{8} S_j Q_j - 8 \times \overline{SQ} = 32\,969 - \frac{1}{8} \times 492 \times 476 = 3\,695,$$

$$l_{2Q} = \sum_{j=1}^{8} L_j Q_j - 8 \times \overline{LQ} = 3\,834 - \frac{1}{8} \times 60 \times 476 = 264,$$

$$\hat{a} = \frac{l_{1Q} l_{22} - l_{12} l_{2Q}}{l_{11} l_{22} - l_{12} l_{21}} = \frac{3\,695 \times 42 - 630 \times 264}{9\,618 \times 42 - 630 \times 630} = -\frac{11\,130}{7\,056} \approx -1.577$$

$$\hat{b} = \frac{l_{2Q} l_{11} - l_{21} l_{1Q}}{l_{11} l_{22} - l_{12} l_{21}} = \frac{264 \times 9\,618 - 630 \times 3\,695}{9\,618 \times 42 - 630 \times 630} = \frac{211\,302}{7\,056} \approx 29.946$$

$$\hat{c} = \overline{Q} - \hat{a}\,\overline{S} - \hat{b}\,\overline{L} = 59.5 + 1.577 \times 61.5 - 29.946 \times 7.5 = -68.109\,5$$

由此可得二元线性回归方程为

$$Q = -1.577S + 29.946L - 68.109\,5$$

即案例"人多未必好办事"中的转盘生产函数在加工的机床数为 4 台时, 为:

$$Q(L,4) = -1.577L^2 + 29.946L - 68.109\,5$$

我们通过上述生产函数分别计算, 当工人数从 4 名增加到 11 名时, 转盘的总产量、平均产量、边际产量和偏导数的值, 计算结果 (近似值) 见表 3—3:

表 3—3　　　　　　　　通过转盘生产函数计算的日产统计表

工人数	总产量	平均产量	边际产量	偏导数值
4	27	6.75		17.33
5	42	8.4	15	14.18
6	55	9.17	13	11.02
7	64	9.14	9	7.87
8	71	8.875	7	4.71
9	74	8.22	3	1.56
10	74	7.4	0	-1.59
11	71	6.45	-3	-4.75

通过表中的边际产量与偏导数值可知,生产函数的边际产量近似等于偏导数值.这是因为生产函数 $Q(L,K)$ 对劳动力 L 的边际产量 $Q'_L(L,K)$ 的经济意义是:它近似等于在投入劳动力 L 和资本 K 的基础上,再多投入一个单位的劳动力所增加的产量.

四、作业及作业参考答案

(一) 作业

练习

1.求下列函数的定义域:

(1) $z = \dfrac{\ln xy}{\sqrt{1+y}}$;　　　(2) $z = \dfrac{xy}{\ln[1-(x^2-y^2)]} + \sqrt{x+y}$.

2.求下列函数的函数值:

(1) 设 $z = e^{xy} + \ln(x-y)$,求 $z(2, -\dfrac{1}{2})$;

(2) 设 $z = \dfrac{xy}{x^2+y^2}$,求 $z(\dfrac{y}{x}, 1)$.

3.证明下列函数为齐次函数,并说明它们是几次齐次函数:

(1) $f(x,y) = \dfrac{1}{x^2+y^2}$;　　　(2) $f(x,y) = \dfrac{x^2 y}{x^3+y^3}$.

4.求下列函数的偏导数值:

(1) 设 $z = \ln(x^3 + 2x^2 y - y^2)$,求 $z'_x(1,3)$ 和 $z'_y(1,3)$;

(2) 设 $z = xe^{xy}$,求 $z'_x(-1,2)$ 和 $z'_y(-1,2)$.

5.求下列函数的偏导数:

(1) 设 $z = \dfrac{x}{y}\ln(y-2x)$,求 $\dfrac{\partial z}{\partial x}$ 和 $\dfrac{\partial z}{\partial y}$;

(2) 设 $z = xe^y + xye^x$,求 $\dfrac{\partial z}{\partial x}$ 和 $\dfrac{\partial z}{\partial y}$.

6.求出下列总成本函数 C 对产量 q_1 和 q_2 的边际成本:

(1)$C = 5q_1^2 q_2 - 2q_1^2 - q_2^2$，在 $q_1 = 1, q_2 = 1$ 处；

(2)$C = q_1^2 \ln(q_2 + 10)$，在 $q_1 = 1, q_2 = 1$ 处.

7.一家企业生产两种产品,牛奶和奶酪.Q_1 和 Q_2 分别代表牛奶和奶酪的产量.利润函数为：

$$L(Q_1, Q_2) = -100 + 20Q_1 + 60Q_2 - 10Q_1^2 - 5Q_2^2 + 10Q_1 Q_2$$

求这两种产品的利润最大化产量.

8.某企业生产的一种产品同时在两个市场销售,售价分别为 p_1, p_2;销售量分别为 q_1, q_2;需求函数分别为

$$q_1 = 24 - 0.2p_1, q_2 = 10 - 0.05p_2$$

总成本函数为 $C = 35 + 40(q_1 + q_2)$.

试问:该企业应该如何确定两个市场的产品售价,使其获得的总利润最大?最大总利润是多少?

9.有一家企业生产两种计算器,它们的总收入和总成本方程如下：

$$R(Q_x, Q_y) = 40Q_x + 50Q_y, C(Q_x, Q_y) = Q_x^2 - 2Q_x Q_y + 2Q_y^2 + 5Q_x + 15Q_y + 5$$

式中,Q_x 和 Q_y 分别为两种计算器每年的销售量(单位为千台).

问:(1) 为使利润最大,企业每种计算器应各生产多少台?

(2) 企业能获得的最大利润是多少?

10.设某工厂生产 A 和 B 两种产品,产量分别为 q_1 和 q_2(单位为千件),利润函数为

$$L(q_1, q_2) = 2q_1 - q_1^2 + 8q_2 - 3q_2^2 + 5 \quad (单位为百万元)$$

已知生产这两种产品时,每千件产品均需消耗某种原料 2 000 千克.现有该原料 10 000 千克,问两种产品各生产多少千件时利润最大?最大利润为多少?

11.在某项试验中,测得两个变量的五组数据分别如表 3—4 所示：

表 3—4

x_i	2.5	2.5	2.9	3.1	3.5
y_i	10.2	10.8	11.6	12.0	12.4

试建立 x 与 y 之间的回归直线方程.

应用案例

12.在经济中,两个主要货物的有用性或效用有时候用一个函数 $z(x, y)$ 测量,比如,G_1 和 G_2 是两种化学制品,一个制药公司需要用它们制造一个合成产品,随加工的不同,需要不同量的化学制品,$z(x, y)$ 是相应的利润.如果 G_1 每千克的价格为 a 元,G_2 每千克的价格为 b 元,购买 G_1 和 G_2 的总金额是 c 元,公司管理人员要使在给定条件 $ax + by = c$ 下的利润最大.这样,他们需要解一个典型的条件极值问题.

假定

$$z(x, y) = xy + 2x$$

而 $ax + by = c$ 简化为

$$2x + y = 30$$

求在该约束条件下利润 $z(x, y)$ 的最大值对应的 x 和 y 的值.

(二) 作业参考答案

练习

1. (1)$\{(x,y) \mid xy > 0, y > -1\}$;

   (2)$\{(x,y) \mid x+y \geqslant 0, x^2+y^2 < 1 \text{ 且 } x^2+y^2 \neq 0\}$.

2. (1)$e^{-1} + \ln \dfrac{5}{2}$;　(2) $\dfrac{xy}{x^2+y^2}$.

3. 提示:利用齐次函数的定义证明.(1)-2 次齐次函数；　(2)3 次齐次函数.

4. (1)$z'_x(1,3) = -\dfrac{15}{2}$;$z'_y(1,3) = 2$;

   (2)$z'_x(-1,2) = -e^{-2}$,$z'_y(-1,2) = e^{-2}$.

5. (1) $\dfrac{\partial z}{\partial x} = \dfrac{1}{y}\ln(y-2x) - \dfrac{2x}{y^2-2xy}$,$\dfrac{\partial z}{\partial y} = -\dfrac{x}{y^2}\ln(y-2x) + \dfrac{x}{y^2-2xy}$;

   (2) $\dfrac{\partial z}{\partial x} = e^y + ye^x + xye^x$,$\dfrac{\partial z}{\partial y} = xe^y + xe^x$.

6. (1)$C'_{q_1}(1,1) = 6$,$C'_{q_2}(1,1) = 3$;

   (2)$C'_{q_1}(1,1) = 2\ln 11$,$C'_{q_2}(1,1) = \dfrac{1}{11}$.

7. 当牛奶和奶酪这两种产品的产量分别为 8 个和 14 个单位时,利润最大.

8. 产品在两个市场的售价分别为 80 和 120 时,获得的利润最大;最大利润是 605.

9. (1) 当企业两种计算器分别生产 52.5 千台和 35 千台时利润最大.

   (2) 最大利润是 1 526.25 单位.

10. 当两种产品各生产 3 千件和 2 千件时利润最大,最大利润为 6 百万元.

11. $\hat{y} = 5.6 + 2x$.

应用案例

12. 当两种化学制品分别买 8 千克和 14 千克时,利润最大,最大利润为 128 元.

五、简单练习和习题的参考答案

简单练习 3.1

1. (1)$\{(x,y) \mid x^2+y^2 \geqslant r^2\}$;　　　(2)$\{(x,y) \mid (x,y) \neq (0,0)\}$;

   (3)$\{(x,y) \mid x+y < 0\}$;　　　(4)$\{(x,y) \mid x^2+y^2 < 4^2\}$.

2. 不是同一函数,因为它们的定义域不同.

3. 提示:利用齐次函数的定义证明.

4. (1)$z'_x(1,2) = -3$,$z'_y(1,2) = 9$;　　　(2)$z'_x(3,1) = -\dfrac{1}{2}$,$z'_y(3,1) = \dfrac{3}{2}$;

   (3)$z'_x(0,1) = 0$,$z'_y(1,0) = 0$;　　　(4)$z'_x(1,2) = 0$,$z'_y(2,2) = \dfrac{1}{10}$.

5. (1) $\dfrac{\partial z}{\partial x} = y^2$,$\dfrac{\partial z}{\partial y} = 2xy$;　　　(2) $\dfrac{\partial z}{\partial x} = 2x+2y$,$\dfrac{\partial z}{\partial y} = 2x+6y$;

(3) $\dfrac{\partial z}{\partial x} = e^{\frac{x}{y}}, \dfrac{\partial z}{\partial y} = e^{\frac{x}{y}} - \dfrac{x}{y}e^{\frac{x}{y}}$;

(4) $\dfrac{\partial z}{\partial x} = \dfrac{2y}{(x+y)^2}, \dfrac{\partial z}{\partial y} = -\dfrac{2x}{(x+y)^2}$;

(5) $\dfrac{\partial z}{\partial x} = y - \dfrac{1}{x}, \dfrac{\partial z}{\partial y} = x$;

(6) $\dfrac{\partial z}{\partial x} = \dfrac{2x}{x^2+y^2}, \dfrac{\partial z}{\partial y} = \dfrac{2y}{x^2+y^2}$;

(7) $\dfrac{\partial z}{\partial x} = \dfrac{y}{2\sqrt{xy}}, \dfrac{\partial z}{\partial y} = \dfrac{x}{2\sqrt{xy}}$;

(8) $\dfrac{\partial z}{\partial x} = \dfrac{1}{y} + ye^{xy}, \dfrac{\partial z}{\partial y} = -\dfrac{x}{y} + xe^{xy}$.

简单练习 3.2

1. (1) $z'_x(1,1) = 1, z'_y(1,1) = 1$;

(2) $z'_x = 3x^2 - y, z'_y = 4y - x$;

(3) $z'_x = e^x + y, z'_y = e^y + x$;

(4) $z'_x = -\dfrac{8(x-5)}{32z-1}, z'_y = -\dfrac{4(y-1)}{32z-1}$.

2. $Q'_L(128,8) = \dfrac{15}{8}, Q'_K(128,8) = 90$.

3. $C'_x = \ln(5+y), C'_y = \dfrac{x}{5+y}$.

4. (1) $\dfrac{\partial^2 z}{\partial x^2} = 6x + 6y, \dfrac{\partial^2 z}{\partial x \partial y} = \dfrac{\partial^2 z}{\partial y \partial x} = 6x, \dfrac{\partial^2 z}{\partial y^2} = 24y$;

(2) $\dfrac{\partial^2 z}{\partial x^2} = y(y-1)x^{y-2}, \dfrac{\partial^2 z}{\partial x \partial y} = \dfrac{\partial^2 z}{\partial y \partial x} = x^{y-1} + yx^{y-1}\ln x, \dfrac{\partial^2 z}{\partial y^2} = x^y(\ln x)^2$;

(3) $\dfrac{\partial^2 z}{\partial x^2} = \dfrac{4y}{(x-y)^3}, \dfrac{\partial^2 z}{\partial x \partial y} = \dfrac{\partial^2 z}{\partial y \partial x} = \dfrac{-2(x+y)}{(x-y)^3}, \dfrac{\partial^2 z}{\partial y^2} = \dfrac{4x}{(x-y)^3}$.

5. (1) 极小值 $z|_{(-4,1)} = -1$; (2) 极大值 $z|_{(2,-2)} = 8$.

6. 当劳动力 L 和资本 K 的投入量分别为 20 和 65 单位时产量最大.

7. 当产品 Ⅰ 和产品 Ⅱ 的产量分别为 25 和 12.5 单位时利润最大, 最大利润为 1 250.

8. 当生产 A 产品 4 件和 B 产品 2 件时利润最大, 最大利润是 120; 相应的价格是 $p_1 = 28$, $p_2 = 30$.

9. (1) 报纸广告费用投入 0.75 万元, 电视广告费用投入 1.25 万元, 可获最大利润;

(2) 1.5 万元全部投入电视广告费用上, 可使获利最大.

10. 当两种产品均生产 1.5 千件时, 获利最大, 为 4 百万元.

11. 当甲、乙两种产品产量分别为 21 吨和 13 吨时, 总成本最小.

12. $\hat{y} = 5 + 3x$.

13. $\hat{y} = 0.857\,9 - 0.289\,5x$.

习题 3

1. (1) $\{(x,y) \mid x \geqslant 0, -\infty < y < +\infty\}$;

(2) $\{(x,y) \mid |x| \leqslant 1, |y| \geqslant 1\}$;

(3) $\{(x,y) \mid x + y \neq 0, x - y \neq 0\}$;

(4) $\{(x,y) \mid \dfrac{x^2}{a^2} + \dfrac{y^2}{b^2} \leqslant 1\}$;

(5) $\{(x,y) \mid r^2 < x^2 + y^2 + z^2 \leqslant R^2\}$.

2. $e^{\frac{\sqrt{3}}{4}} + \ln(1+\sqrt{3}) - \ln 2$.

3. $\Delta x(2x - y + \Delta x), \Delta y(1 - x)$.

4. 提示: 利用齐次函数的定义证明, 并确定它们是几次齐次函数.

5. (1) $f'_x(2,0) = 4, f'_y(2,0) = \dfrac{1}{2}$;

(2) $f'_x(1,1) = 1, f'_y(1,1) = -1$;

(3) $\left.\dfrac{\partial f}{\partial x}\right|_{\substack{x=2\\y=1}}=\dfrac{1+\mathrm{e}^2}{2+\mathrm{e}^2}$;　　　　　　(4) $f_x'(0,1)=-3,f_y'(0,1)=2$.

6.(1) $\dfrac{\partial z}{\partial x}=2xy^2,\dfrac{\partial z}{\partial y}=2x^2y$;

(2) $\dfrac{\partial z}{\partial x}=-\dfrac{1}{x},\dfrac{\partial z}{\partial y}=\dfrac{1}{y}$.

(3) $\dfrac{\partial z}{\partial x}=y\mathrm{e}^{xy}+2xy,\dfrac{\partial z}{\partial y}=x\mathrm{e}^{xy}+x^2$;

(4) $\dfrac{\partial z}{\partial x}=\dfrac{y(R^2-2x^2-y^2)}{\sqrt{R^2-x^2-y^2}},\dfrac{\partial z}{\partial y}=\dfrac{x(R^2-x^2-2y^2)}{\sqrt{R^2-x^2-y^2}}$;

(5) $\dfrac{\partial z}{\partial x}=\dfrac{y^2}{(x^2+y^2)^{\frac{3}{2}}},\dfrac{\partial z}{\partial y}=-\dfrac{xy}{(x^2+y^2)^{\frac{3}{2}}}$;

(6) $\dfrac{\partial z}{\partial x}=\dfrac{1}{y}\mathrm{e}^{\frac{x}{y}}-\dfrac{1}{y-x},\dfrac{\partial z}{\partial y}=-\dfrac{x}{y^2}\mathrm{e}^{\frac{x}{y}}+\dfrac{1}{y-x}$.

7.(1) $C_x'(1,1)=1,C_y'(1,1)=1$;　　　　　(2) $C_x'=2xy^2-3y,C_y'=2x^2y-3x+1$;

(3) $C_x'=2x\ln(y+10),C_y'=\dfrac{x^2}{y+10}$;　　　(4) $C_x'=\dfrac{x-3}{9C^2-C},C_y'=\dfrac{4y-12}{9C^2-C}$.

8. $Q_L'(25,100)=25\,100,Q_K'(25,100)=6\,275$.

9. 当牛奶和奶酪这两种产品的产量分别为 $\dfrac{1\,240}{19}$ 和 $\dfrac{310}{19}$ 单位时,利润最大.

10. 当甲、乙产品的产量分别为 3 和 2 个单位时利润最大,最大利润为 2 个单位.

11. 当产品 A 的产量为 2 个单位,产品 B 的产量为 4 个单位时利润最大,最大利润为 48 万元.

12.(1) 当企业两种计算器分别生产 22 千台和 15 千台时利润最大.

(2) 最大利润是 269 单位.

13. 当 A、B 两种原料各买 100 个单位和 25 个单位时,能使生产函数的产量最大.最大产量是 1 250 单位.

14. 当两种产品各生产 3.8 千件和 2.2 千件时利润最大,最大利润为 22.2 万元.

15. $\hat{y}=10.824\,5+2.668x$.

16. $\hat{y}=6.109+0.766x$.

综合案例题 1 (1) 当 CD 唱机的产量是 $\dfrac{306}{19}$ 时,利润最大化;当扩音器的产量是 $\dfrac{252}{19}$ 时,利润最大化.

(2) 当两种产品的产量分别是 $\dfrac{306}{19}$ 和 $\dfrac{252}{19}$ 时,利润最大化.

综合案例题 2 当商品 X_1 的价格为 31.5 个单位,商品 X_2 的价格为 14 个单位时利润最大.

综合案例题 3 当资本的投入固定为 256 时,利润最大化的劳动力投入量、产量和工资率分别是 4、32 和 1.

第4章 社会收入分配与积分

一、本章主要内容

(一)主要概念

1. 原函数:

设 $f(x)$ 是定义在区间 D 上的函数,若存在函数 $F(x)$,使得对于区间 D 内的任意 x 均有 $F'(x) = f(x)$(或 $dF(x) = f(x)dx$),则称 $F(x)$ 为 $f(x)$ 在区间 D 上的一个原函数.原函数不是唯一的.

2. 定积分的定义:

设函数 $f(x)$ 在区间 $[a,b]$ 上连续,$F(x)$ 为 $f(x)$ 的原函数,则数值 $F(b) - F(a)$ 称为 $f(x)$ 在 $[a,b]$ 上的定积分(或称为 $f(x)$ 从 a 到 b 的定积分),记为 $\int_a^b f(x)dx$,即

$$\int_a^b f(x)dx = F(x)\bigg|_a^b = F(b) - F(a)$$

其中 $f(x)$ 称为被积函数,x 称为积分变量,数 a 和 b 分别称为积分的下限和上限,$[a,b]$ 称为积分区间.此式也称为牛顿—莱布尼兹(Newton-Leibniz)公式.

3. 变上限定积分:

对任意变动的点 $x \in [a,b]$,定积分 $\int_a^x f(x)dx$ 是随上限 x 变动的,即 $\int_a^x f(x)dx = F(x)\bigg|_a^x = F(x) - F(a)$,所以定积分 $\int_a^x f(x)dx$ 称为变上限的定积分,它是 x 的函数,且由 $\left[\int_a^x f(x)dx\right]' = [F(x) - F(a)]' = F'(x) = f(x)$,说明 $\int_a^x f(x)dx$ 还是 $f(x)$ 的一个原函数.

4. 定积分的几何意义:

若 $f(x)$ 在 $[a,b]$ 上连续,且 $f(x) \geqslant 0$,则 $f(x)$ 在 $[a,b]$ 上的定积分 $\int_a^b f(x)dx$ 是由曲线 $y = f(x)$ 和直线 $y = 0$ 及直线 $x = a, x = b$ 所围成的曲边梯形的面积 A,如图 4—1 所示,即 $A = \int_a^b f(x)dx$.

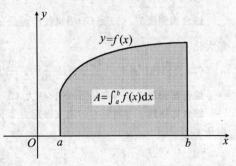

图 4—1

5. 基尼系数:

基尼系数是国际通用的衡量一国贫富差距的宏观指标,是一个国家全部的居民收入中,用

于进行不平均分配的那部分收入占总收入的比重.

6. 消费者剩余:

消费者剩余是指消费者对某种商品所愿意付出的金额超过其实际付出的金额的部分,即:

消费者剩余＝愿意付出的金额－实际付出的金额

消费者剩余可用来衡量消费者所得到的额外满足.

(二) 主要公式

1. 定积分的基本公式:

$(1)\displaystyle\int_a^b x^\alpha \mathrm{d}x = \frac{1}{\alpha+1}x^{\alpha+1}\Big|_a^b = \frac{1}{\alpha+1}(b^{\alpha+1}-a^{\alpha+1})\quad(\alpha\neq-1)$

$(2)\displaystyle\int_a^b \frac{1}{x}\mathrm{d}x = \ln|x|\,\Big|_a^b = \ln|b|-\ln|a|$

$(3)\displaystyle\int_a^b a^x \mathrm{d}x = \frac{1}{\ln a}a^x\Big|_a^b = \frac{1}{\ln a}(a^b-a^a)$

$(4)\displaystyle\int_a^b \mathrm{e}^x \mathrm{d}x = \mathrm{e}^x\Big|_a^b = \mathrm{e}^b-\mathrm{e}^a$

2. 分部积分公式:

设 $u=u(x),v=v(x)$ 都是连续可微函数,则 $\displaystyle\int_a^b uv'\mathrm{d}x = uv\Big|_a^b - \int_a^b u'v\mathrm{d}x$

3. 基尼系数的计算公式:

用不平等面积 A 占最大不平等面积 $A+B$ 的比例 $\dfrac{A}{A+B}$ 来衡量社会收入分配的不平等程度,在经济学上称为**基尼系数**.

$$基尼系数 = \frac{A}{A+B} = \frac{\frac{1}{2}-\int_0^1 f(x)\mathrm{d}x}{\frac{1}{2}}$$

4. 消费者剩余的计算公式:

$$CS = \int_0^{q^*} D(q)\mathrm{d}q - p^*q^*$$

式中,$p=D(q)$,为某商品的需求曲线,p^* 为价格,q^* 为消费者对价格为 p^* 的该商品的购买量.

(三) 主要性质

设 $f(x),g(x)$ 在区间 $[a,b]$ 上连续,则有

性质 1 $\displaystyle\int_a^b kf(x)\mathrm{d}x = k\int_a^b f(x)\mathrm{d}x$ （k 为常数）

性质 2 $\displaystyle\int_a^b [f(x)\pm g(x)]\mathrm{d}x = \int_a^b f(x)\mathrm{d}x \pm \int_a^b g(x)\mathrm{d}x$

性质 3 $\displaystyle\int_a^b f(x)\mathrm{d}x = \int_a^c f(x)\mathrm{d}x + \int_c^b f(x)\mathrm{d}x$ （$a<c<b$）

（四）主要方法

1. 定积分的计算方法有：

(1) 直接积分法.

(2) 换元积分法.

(3) 分部积分法.

(4) 分部积分列表法.

2. 利用定积分的几何意义求平面图形的面积的方法.

3. 定积分在经济管理中的应用方法有：

(1) 由边际函数求最优问题的方法.

(2) 消费者剩余问题的计算方法.

(3) 产品生产、营销问题的计算方法.

二、解题方法

1. 直接积分法：

直接利用积分的基本公式和基本性质求积分，或对被积函数经过简单的变形后，再利用基本公式和基本性质进行积分计算的方法称为直接积分法.

2. 换元积分法：

换元积分法实际上是复合函数求积分的方法. 用换元积分法求积分时，首先应根据积分的基本公式分析被积函数，然后对被积函数进行恒等变形（通常是增减常数 k），找出变形后的被积函数 $f[\varphi(x)]\varphi'(x)$ 的原函数 $F[\varphi(x)]$ 后，再求出定积分.

即已知 $\displaystyle\int_a^b f(u)\mathrm{d}u = F(u)\Big|_a^b = F(b) - F(a)$，则得

$$\int_a^b f[\varphi(x)]\varphi'(x)\mathrm{d}x = F[\varphi(x)]\Big|_a^b = F[\varphi(b)] - F[\varphi(a)]$$

3. 分部积分法：

分部积分法主要用以计算被积函数为乘积形式的积分. 计算时，经过分部积分公式的变换，使得较难求出的乘积形式的积分转变为容易求出的积分，从而达到计算出定积分的目的. 而通过 $\displaystyle\int_a^b uv'\mathrm{d}x = uv\Big|_a^b - \int_a^b u'v\mathrm{d}x$，使得较难求出结果的积分 $\displaystyle\int_a^b uv'\mathrm{d}x$ 转变为计算较容易求出的积分 $\displaystyle\int_a^b u'v\mathrm{d}x$. 分部积分法的一个简化求法就是"分部积分的列表法". 它通过表格化和口诀化的方式将需要一定技巧去选择 u,v' 的工作变为更为容易、直接，有的积分甚至可以一步直接写出结果.

三、例题解析

例 1 $\displaystyle\int_1^4 \frac{(1+\sqrt{x})^2}{x}\mathrm{d}x$

[分析]　对于计算一个积分,我们首先考虑是否能用基本积分公式去求解,如果不能直接看出,可以先对被积函数进行变形,然后代入公式求出结果.

用直接积分法进行积分计算,需要熟记积分的基本公式和基本性质,并且会函数的简单变形.

解　$\displaystyle\int_1^4 \frac{(1+\sqrt{x})^2}{x}\mathrm{d}x = \int_1^4 \frac{1+2\sqrt{x}+x}{x}\mathrm{d}x = \int_1^4 \left(\frac{1}{x}+\frac{2}{\sqrt{x}}+1\right)\mathrm{d}x$

$$= \ln|x|\,\Big|_1^4 + 4\sqrt{x}\,\Big|_1^4 + x\,\Big|_1^4$$

$$= \ln4 + 4\times2 - 4 + 4 - 1 = 7 + \ln4$$

例 2　$\displaystyle\int_{-1}^1 |2x|\,\mathrm{d}x$

[分析]　利用积分的可加性,可以求出分段函数的定积分.计算时注意利用分段点确定积分的上、下限.

解　$\displaystyle\int_{-1}^1 |2x|\,\mathrm{d}x = \int_{-1}^0 -2x\mathrm{d}x + \int_0^1 2x\mathrm{d}x = -x^2\,\Big|_{-1}^0 + x^2\,\Big|_0^1 = 1 + 1 = 2$

例 3　$\displaystyle\int_0^1 \frac{x}{\sqrt{x^2+1}}\mathrm{d}x$

[分析]　如果我们无法将被积函数变形为基本积分公式的形式,即不能用直接积分法计算出结果,且被积函数中有一部分是复合函数的形式,则我们考虑用换元积分法求定积分.

用换元积分法求积分时,首先应根据积分的基本公式分析被积函数,然后对被积函数进行恒等变形(通常是增减常数 k),找出变形后的被积函数 $f[\varphi(x)]\varphi'(x)$ 的原函数 $F[\varphi(x)]$ 后,再求出定积分.即从基本积分公式 $\displaystyle\int_a^b f(u)\mathrm{d}u = F(u)\,\Big|_a^b = F(b) - F(a)$,得到

$$\int_a^b f[\varphi(x)]\varphi'(x)\mathrm{d}x = F[\varphi(x)]\,\Big|_a^b = F[\varphi(b)] - F[\varphi(a)]$$

用换元积分法求积分时,如果能够记住一些函数的导数形式,则对将被积函数进行恒等变形,以便求出它的原函数 $F[\varphi(x)]$ 会很有帮助.

例如:因为 $\dfrac{1}{2a}(ax^2+b)' = x$,所以可以考虑 x(一次)和 x^2(二次)的复合函数相关,且

$$\int_a^b u^a\mathrm{d}u = \frac{1}{\alpha+1}u^{\alpha+1}\,\Big|_a^b = \frac{1}{\alpha+1}(b^{\alpha+1} - a^{\alpha+1}) \quad (\alpha \neq -1)$$

解　$\displaystyle\int_0^1 \frac{x}{\sqrt{x^2+1}}\mathrm{d}x = \int_0^1 \frac{1}{\sqrt{x^2+1}}x\mathrm{d}x = \int_0^1 (x^2+1)^{-\frac{1}{2}} \times \frac{1}{2} \times (x^2+1)'\mathrm{d}x$

$$= \frac{1}{2} \times 2\sqrt{x^2+1}\,\Big|_0^1 = \sqrt{2} - 1$$

例 4　$\displaystyle\int_1^{e^2} \frac{1+\ln x}{x}\mathrm{d}x$

[分析]　$\dfrac{1}{x} = (1+\ln x)'$,且 $\displaystyle\int_a^b u^a\mathrm{d}u = \frac{1}{\alpha+1}u^{\alpha+1}\,\Big|_a^b = \frac{1}{\alpha+1}(b^{\alpha+1} - a^{\alpha+1}) \quad (\alpha \neq -1)$

解 $\displaystyle\int_1^{e^2}\frac{1+\ln x}{x}dx=\int_1^{e^2}(1+\ln x)\times\frac{1}{x}dx=\int_1^{e^2}(1+\ln x)(1+\ln x)'dx$

$$=\frac{1}{2}(1+\ln x)^2\Big|_1^{e^2}=\frac{1}{2}(3^2-1^2)=4$$

例 5 $\displaystyle\int_{\frac{1}{2}}^1\frac{e^{-\frac{1}{x}}}{x^2}dx$

[分析] $\dfrac{1}{x^2}=\left(-\dfrac{1}{x}\right)'$，且 $\displaystyle\int_a^b e^u du=e^u\Big|_a^b=e^b-e^a$

解 $\displaystyle\int_{\frac{1}{2}}^1\frac{e^{-\frac{1}{x}}}{x^2}dx=\int_{\frac{1}{2}}^1 e^{-\frac{1}{x}}\left(-\frac{1}{x}\right)'dx=e^{-\frac{1}{x}}\Big|_{\frac{1}{2}}^1=e^{-1}-e^{-2}=\frac{1}{e}-\frac{1}{e^2}$

例 6 $\displaystyle\int_0^{\ln 2}xe^{-x}dx$

[分析] 如果被积函数为乘积形式，且不能表示为 $f[\varphi(x)]\varphi'(x)$ 的形式，则考虑采用分部积分法.经过分部积分公式的变换，使得较难求出的乘积形式的积分转变为容易求出的积分，从而达到计算出定积分的目的.

一般地，若被积函数为幂函数和指数函数的乘积形式，或被积函数为幂函数和对数函数的乘积形式，则考虑用分部积分法计算.用分部积分法计算积分时，要注意被积函数中 u 和 v' 的选择，如果选择合适，则积分计算可以简化，并容易求出结果来；如果选择不当，则会变得更为复杂.

若被积函数为幂函数和指数函数的乘积形式时，选择幂函数为 u，指数函数为 v'；若被积函数为幂函数和对数函数时，选择对数函数为 u，幂函数为 v'.

我们还可以采用分部积分列表法计算积分，其中 u 和 v' 的选择方法同上，将 u 放在左列，v' 放在右列，利用"横向函数相乘再积分，左列函数依次求导数，右列函数依次求积分，斜向函数相乘不积分，符号依次取正负"的方法求得结果.利用分部积分列表法有时还可以直接写出积分结果来，所以建议大家使用此方法.

解 方法一：

设 $u=x,v'=e^{-x}$，则得 $u'=1,v=-e^{-x}$，由分部积分公式

$$\int_0^{\ln 2}xe^{-x}dx=-xe^{-x}\Big|_0^{\ln 2}+\int_0^{\ln 2}e^{-x}dx=-\frac{1}{2}\ln 2-e^{-x}\Big|_0^{\ln 2}$$

$$=-\frac{1}{2}\ln 2-\frac{1}{2}+1=\frac{1}{2}(1-\ln 2)$$

方法二：用分部积分列表法计算积分.

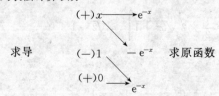

我们可以直接写出积分的结果来，即

$$\int_0^{\ln 2} x\mathrm{e}^{-x}\mathrm{d}x = -x\mathrm{e}^{-x}\Big|_0^{\ln 2} - \mathrm{e}^{-x}\Big|_0^{\ln 2} = -\frac{1}{2}\ln 2 - \frac{1}{2} + 1 = \frac{1}{2}\times(1-\ln 2)$$

注意:如果左列出现了"0",则可由积分表直接写出积分结果.

例 7 $\displaystyle\int_2^{2e} x\ln\frac{x}{2}\mathrm{d}x$

[分析]　被积函数为幂函数和对数函数,选择对数函数为 u,幂函数为 v'.

解　方法一:

设 $u = \ln\dfrac{x}{2}$, $v' = x$,则得 $u' = \dfrac{1}{x}$, $v = \dfrac{1}{2}x^2$,由分部积分公式

$$\int_2^{2e} x\ln\frac{x}{2}\mathrm{d}x = \frac{x^2}{2}\ln\frac{x}{2}\Big|_2^{2e} - \int_2^{2e}\frac{x}{2}\mathrm{d}x = 2\mathrm{e}^2 - \frac{1}{4}x^2\Big|_2^{2e} = \mathrm{e}^2 + 1$$

方法二:用分部积分列表法计算积分.

$\ln x$ 不易求出原函数,而 x 容易求出原函数,则 $\ln x$ 放在左列,x 放在右列,排列如下:

$$(+)\ln\frac{x}{2}\longrightarrow x$$

求导　　　　　　　　　　　求原函数

$$(-)\frac{1}{x}\longrightarrow\frac{1}{2}x^2$$

则 $\displaystyle\int_2^{2e} x\ln\frac{x}{2}\mathrm{d}x = \frac{x^2}{2}\ln\frac{x}{2}\Big|_2^{2e} - \int_2^{2e}\frac{x}{2}\mathrm{d}x = 2\mathrm{e}^2 - \frac{1}{4}x^2\Big|_2^{2e} = \mathrm{e}^2 + 1$

注意:此题目不能直接写出积分结果来.

例 8　求由曲线 $y = \sqrt{x}$,直线 $x = 1$ 和 x 轴所围成图形的面积.

[分析]　我们可以利用定积分的几何意义来求平面图形的面积.计算时首先根据所给的条件画出草图,其次确定出积分的上、下限,然后计算积分,得出所围的图形的面积.

解　曲线 $y = \sqrt{x}$,直线 $x = 1$ 和 x 轴所围图形如图 4—2.

根据定积分的几何意义知

所求的面积为 $S = \displaystyle\int_0^1\sqrt{x}\mathrm{d}x = \frac{2}{3}x^{\frac{3}{2}}\Big|_0^1 = \frac{2}{3}$

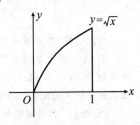

图 4—2

例 9　求由曲线 $y = x^2 - 1$,直线 $x + y = 1$ 和 y 轴的右半平面所围成图形的面积.

[分析]　求图形的面积并不是只能计算 $y = f(x) \geqslant 0$,且只有一条曲边的情况,只要在相应的积分区间内,对在上面的函数减去在下面的函数进行积分,则可得出所求的结果.

解　由曲线 $y = x^2 - 1$,直线 $x + y = 1$ 和 y 轴的右半平面所围成图形的面积如图 4—3.

由联立方程 $\begin{cases} y = x^2 - 1 \\ y = 1 - x \end{cases}$ 求得所围成平面图形的交点为点(1,

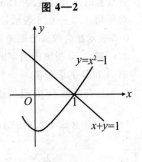

图 4—3

0) 和点 $(-2,3)$(因不在所围区域内,故舍去),则所求平面图形的面积为

$$S = \int_0^1 \left[(1-x) - (x^2-1)\right] \mathrm{d}x = \int_0^1 (2-x-x^2) \mathrm{d}x$$

$$= \left(2x - \frac{1}{2}x^2 - \frac{1}{3}x^3\right) \Big|_0^1 = \frac{7}{6}$$

例 10 设某产品的边际收入函数为 $R'(x) = 12 - q$(万元 / 百台),边际成本函数为 $C'(q) = 6 + \dfrac{q}{2}$(万元 / 百台),其中产量 q 以万台为单位.求:

(1) 当产量为多少时总利润最大?

(2) 若在最大利润产量的基础上再生产 2 万台,总利润的变化量是多少?

[分析] 利用定积分可以计算经济函数的最优问题.计算时要弄清楚各经济函数之间的关系.

解 (1)首先求出边际利润

$$L'(q) = R'(q) - C'(q) = (12-q) - \left(6 + \frac{q}{2}\right) = 6 - \frac{3}{2}q$$

令 $L'(q) = 0$,解得

$$q = 4(\text{百台})$$

当产量为 4 百台时总利润最大.

$$(2)\Delta L = L(6) - L(4) = \int_4^6 L'(q)\mathrm{d}q$$

$$= \int_4^6 \left(6 - \frac{3}{2}q\right)\mathrm{d}q = \left(6q - \frac{3}{4}q^2\right)\Big|_4^6 = -3(\text{万元})$$

由此可见,在产量 4 百台的基础上再生产 2 万台,利润减少了 3 万元.

例 11 某年某国对统计调查所得的社会收入分配数据进行分析知,曲线 ODL 近似服从二次函数 $f(x) = 0.81x^2$,计算该国该年的基尼系数.并根据联合国有关组织规定的标准,判断该国的社会收入分配的均等程度.

[分析] 利用定积分我们可以分析社会收入分配的平衡程度,即通过计算基尼系数衡量社会贫富的差异程度.并且根据联合国有关组织规定:若基尼系数低于 0.2,表示社会收入分配绝对平均;0.2 ~ 0.3 表示社会收入分配比较平均;0.3 ~ 0.4 表示社会收入分配相对合理;0.4 ~ 0.5 表示社会收入分配差距较大;0.6 以上表示社会收入分配差距悬殊.

解 分析该国当年的社会贫富差距的情况,需要计算出该国当年的基尼系数.这就要计算出 A 和 B 的面积值.

已知曲线 ODL 近似服从二次函数 $f(x) = 0.81x^2$,则

$$B = \int_0^1 0.81x^2 \mathrm{d}x = 0.81 \times \frac{1}{3}x^3 \Big|_0^1 = 0.27$$

而 $\qquad A = \dfrac{1}{2} - B = 0.5 - 0.27 = 0.23$

所以该国当年的基尼系数 $= \dfrac{A}{A+B} = \dfrac{0.23}{0.5} = 0.46$

根据联合国有关组织的规定,该国该年社会收入分配的差距较大.

例 12　如果需求曲线 $D(q) = 40 - 0.002\,1q^2$,并已知需求量为 20 个单位,试求消费者剩余 CS.

[分析]　消费者剩余是经济学中的重要概念,是指消费者对某种商品所愿意付出的金额超过他实际付出的金额的部分,即:

消费者剩余 = 愿意付出的金额 - 实际付出的金额

消费者剩余可用来衡量消费者所得到的额外满足.

解　已知需求量 q^* 为 20 个单位,所以市场价格

$$p^* = D(q) = 40 - 0.002\,1q^2 = 40 - 0.002\,1 \times 20^2 = 39.16$$

消费者剩余为

$$CS = \int_0^{20} D(q)\mathrm{d}q - p^* q^* = \int_0^{20}(40 - 0.002\,1q^2)\mathrm{d}q - 39.16 \times 20$$

$$= \left(40q - \frac{0.002\,1}{3}q^3\right)\Big|_0^{20} - 783.2 = 11.2$$

四、作业及作业参考答案

(一) 作业

练习

1. 计算下列定积分:

$(1) \displaystyle\int_1^2 \mathrm{e}^x\left(1 - \frac{\mathrm{e}^{-x}}{x}\right)\mathrm{d}x$;

$(2) \displaystyle\int_1^4 \frac{2x^2 - \sqrt{x}}{\sqrt{x}}\mathrm{d}x$;

$(3) f(x) = \begin{cases} x, & -1 \leqslant x < 0, \\ 1-x, & 0 \leqslant x \leqslant 1, \end{cases}$ 　求 $\displaystyle\int_{-1}^1 f(x)\mathrm{d}x$;

$(4) \displaystyle\int_0^2 x\sqrt{4 - x^2}\,\mathrm{d}x$;

$(5) \displaystyle\int_0^1 \frac{x^2}{1+x}\mathrm{d}x$;

$(6) \displaystyle\int_0^1 \frac{\mathrm{e}^x}{(1+\mathrm{e}^x)^2}\mathrm{d}x$;

$(7) \displaystyle\int_0^{\ln2} x\mathrm{e}^x\mathrm{d}x$;

$(8) \displaystyle\int_e^{2e} \ln\frac{x}{2}\mathrm{d}x$.

2. 求由直线 $y = x$,曲线 $y = \sqrt{x}$ 所围成图形的面积.

应用案例

3. 假设某国某年的 ODL 曲线近似服从 $y = 1.008x^3$，试求这一年该国的基尼系数.

4. 设某产品的边际成本函数为 $C'(q) = 10 + \dfrac{q}{50}$（元／件），固定成本为 500 元，每件售价为 20 元，且产品能全部售出，求产量为多少时利润最大？最大利润是多少？若在最大利润的基础上再多生产 20 件，利润的变化量是多少？

5. 如果需求曲线 $D(q) = 18 - 3q$，并已知需求量为 2 个单位，试求消费者剩余 CS.

6. 已知某产品的销售变化率（单位为件／月）是时间 t（单位为月）的函数，

$$f(t) = 2t + 6 \quad (t \geqslant 0)$$

求此产品前 6 个月的总销售量.

（二）作业参考答案

练习

1. (1) $e^2 - e - \ln 2$；　(2) $\dfrac{109}{5}$；　(3) 0；　(4) $\dfrac{8}{3}$；　(5) $\ln 2 - \dfrac{1}{2}$；　(6) $\dfrac{1}{2} - \dfrac{1}{1+e}$；

(7) $2\ln 2 - 1$；　(8) 2.

2. $\dfrac{1}{6}$.

应用案例

3. 0.496.

4. 500 件；2 000 元；-4 元.

5. 6.

6. 72 件.

五、简单练习和习题的参考答案

简单练习 4.1

1. (1) $e - 1$；　(2) 28.

2. 总成本函数为 $C(q) = 13q - 2q^2 + 10$.

3. $\dfrac{1}{3}$

简单练习 4.2

1. (1) 1；　(2) $\dfrac{1}{2}$；　(3) $\dfrac{1}{3}\left(1 - \dfrac{1}{e^3}\right)$；　(4) $1 + \ln 2$；　(5) $\dfrac{3}{4}e^4 + \dfrac{1}{4}$；　(6) $\dfrac{1}{4}e^2 + \dfrac{1}{4}$.

2. 该国当年的基尼系数为 0.392.

3. 此产品前半年的总产量为 60 台.

简单练习 4.3

1. (1) 9 987.5；　(2) 19 850.

2. 消费者剩余 CS 为 6.

3.此产品第一个季度的总销售量为 9.

习题 4

1.(1) $\dfrac{5}{2}$；   (2) $\dfrac{2}{\ln 2}-\ln 2$；   (3) $\ln 2-\dfrac{1}{2}$；   (4) 34；   (5) $\dfrac{1}{12}+\dfrac{4}{3}\sqrt{2}$；   (6) $1-\dfrac{1}{e}$；

(7) $\dfrac{4}{3}$；   (8) $1-\dfrac{2}{e}$；   (9) $2-2\ln 2$.

2.(1) 产量为 15 台时利润最大；   (2) $\Delta L=-5$,利润减少了 5 个单位.

3.消费者剩余为 $\dfrac{400}{3}$.

4.该国当年的基尼系数为 $\dfrac{15}{32}$.

5.$t=6$ 时的总产量为 230.4.

综合练习（一）及参考答案

一、填空题

1. 函数 $f(x+1) = x^2 + 2x - 5$，则 $f(x) = $ _____.

2. 设 $y = \lg 2x$，则 $\mathrm{d}y = $ _____.

3. 函数 $y = x\sqrt{x} + \ln x$ 的二阶导数 $y'' = $ _____.

4. 二元函数 $z = \sqrt{9 - x^2} + \sqrt{y^2 - 4}$ 的定义域是 _____.

5. 若销售某种产品的总利润 L 是销售量 x 和售价 y 的函数，$L(x,y) = 4x^2 - xy + 4y + 50$，则总利润 L 对销售量 x 的边际利润为 _____；总利润 L 对售价 y 的边际利润为 _____.

6. 已知生产函数 $Q = 200L^{\frac{1}{2}} K^{\frac{2}{3}}$，则产量 Q 对资本投入量 K 的边际产量为 _____；产量 Q 对劳动力投入量 L 的边际产量为 _____.

7. 函数 $z = x^3 + y^3 - 3xy$ 在点 $(0,0)$ 处 _____（极值情况判别）.

8. 已知 2^x 是 $f(x)$ 在区间 $[0,1]$ 上的一个原函数，则 $f(x) = $ _____.

9. 用分部积分列表法求积分 $\int_1^e x\ln x \mathrm{d}x$ 时，放在左列的是 _____.

10. 某产品的边际收入为 $R'(q)$，则该产品的总收入函数的表达式为 _____.

二、单项选择题

1. 下列函数中，不是基本初等函数的是（　）.

    (A) $y = \sqrt[3]{\dfrac{1}{x}}$ (B) $y = \lg(1-x)$ (C) $y = \left(\dfrac{1}{10}\right)^x$ (D) $y = 10^{\sqrt{8}}$

2. 已知某产品的成本函数为 $C(q) = 0.2q^2 + 4q + 294$，该产品的需求函数为 $q = 180 - 4p$，该产品的利润函数为（　）.

    (A) $L(q) = 41q - 0.45q^2 - 294$ (B) $L(q) = 180p - 4p^2$

    (C) $L(q) = 41q - 0.45q^2$ (D) $L(q) = qp - 0.2q^2 - 4q - 294$

3. 设 $C(q)$ 是成本函数，$R(q)$ 是收入函数，$L(q)$ 是利润函数，则盈亏平衡点是方程（　）的解.

    (A) $R(q) - C(q) = 0$ (B) $L(q) - R(q) = 0$

    (C) $C(q) + R(q) = 0$ (D) $L(q) - C(q) = 0$

4. 若 $f\left(\dfrac{1}{x}\right) = x$，则 $f'(x)$ 等于（　）.

    (A) $\dfrac{1}{x}$ (B) $\dfrac{1}{x^2}$ (C) $-\dfrac{1}{x}$ (D) $-\dfrac{1}{x^2}$

5. 下列函数在指定区间 $(-\infty, +\infty)$ 上单调增加的是（　）.

    (A) $\sin x$ (B) e^x (C) x^2 (D) $3 - x$

6. 函数 $f(x)$ 在区间 $[a,b]$ 上可导，且有 $f'(x) < 0$，则 $f(x)$ 在区间 $[a,b]$ 上的最小值是（　）.

(A)a (B)b (C)$f(a)$ (D)$f(b)$

7. 函数 $z = \dfrac{1}{\ln(x+y)}$ 的定义域是( ).

(A)$x+y>0$ (B)$x+y\neq 1$

(C)$x+y>0$ 且 $x+y\neq 1$ (D)$x+y>0$ 或 $x+y\neq 1$

8. 函数 $z = x^4 - 3x + y$ 在定义域内( ).

(A) 有两个驻点 (B) 有一个驻点

(C) 无驻点 (D) 有三个驻点

9. 已知 $F(x)$ 是连续函数 $f(x)$ 在区间 $[0,3]$ 上的一个原函数,$F(0)=2, F(3)=-3$,则 $\int_3^0 f(x)\mathrm{d}x$ 等于( ).

(A) 0 (B) 3 (C)5 (D) -5

10. 某产品生产 q 件时的边际成本为 $3+q$(元／件),固定成本 C_0 为 5 元,则产品的总成本函数 $C(q)$ 等于( ).

(A)$3q+\dfrac{1}{2}q^2-5$ (B)$3q+\dfrac{1}{2}q^2$ (C)$3q+\dfrac{1}{2}q^2+5$ (D)$3q+q^2+5$

三、案例题

1. 根据 2006 年 1 月 1 日起执行的新的个人所得税政策,起征点提高到月收入为 1 600 元,根据个人所得税税率表(表 1)(工资、薪金所得适用),试列出个人收入在 2 100 元以内者交纳个税的税额.

表 1

级数	全月应纳税所得额	税率(%)
1	不超过 500 元的	5
2	超过 500 元至 2 000 元的部分	10
3	超过 2 000 元至 5 000 元的部分	15
4	超过 5 000 元至 20 000 元的部分	20
5	超过 20 000 元至 40 000 元的部分	25
6	超过 40 000 元至 60 000 元的部分	30
7	超过 60 000 元至 80 000 元的部分	35
8	超过 80 000 元至 100 000 元的部分	40
9	超过 100 000 元的部分	45

2. 设某工厂生产某产品的固定成本为 200(百元),每生产一个单位产品,成本增加 5(百元),且已知需求函数 $q = 100 - 2p$(其中,p 为价格,q 为产量),这种产品在市场上是畅销的.

(1)试分别列出该产品的总成本函数 $C(q)$ 和总收入函数 $R(q)$ 的表达式;

(2)求使该产品利润最大的产量;

(3)求最大利润.

3. 某工厂生产甲、乙两种产品的产量为 x、y 吨,又甲、乙两种产品的产量总和为 34 吨,且总成本为

57

$$C(x,y) = 6x^2 + 10y^2 - xy + 30$$

(1) 分别求甲、乙两种产品的边际成本.

(2) 两种产品的产量各为多少时,总成本最小?

4.已知某产品总产量(单位为台)的变化率是时间 t(单位为月)的函数

$$f(t) = 2t + 4 \quad (t \geqslant 0)$$

求此产品前半年的总产量.

参考答案

一、填空题

1. $x^2 - 6$.

2. $\dfrac{1}{x\ln 10}\mathrm{d}x$.

3. $\dfrac{3}{4}x^{-\frac{1}{2}} - \dfrac{1}{x^2}$.

4. $\{(x,y) \mid |x| \leqslant 3, |y| \geqslant 2\}$.

5. $8x - y; -x + 4$.

6. $\dfrac{400}{3}L^{\frac{1}{2}}K^{-\frac{1}{3}}; 100L^{-\frac{1}{2}}K^{\frac{2}{3}}$.

7. 无极值.

8. $2^x \ln 2$.

9. $\ln x$.

10. $R(q) = \displaystyle\int_0^q R'(q)\,\mathrm{d}q$.

二、单项选择题

1.(B) 2.(A) 3.(A) 4.(D) 5.(B) 6.(D)

7.(C) 8.(C) 9.(C) 10.(C)

三、案例题

1. $y = \begin{cases} 0, & x \leqslant 1\,600 \\ 0.05(x - 1\,600), & 1\,600 < x \leqslant 2\,100 \end{cases}$

2.(1) 总成本函数和总收入函数分别为:

$$C(q) = 200 + 5q$$

$$R(q) = pq = \frac{100 - q}{2} \cdot q = 50q - \frac{1}{2}q^2$$

(2) 当产量为 $q = 45$ 单位时,利润最大.

(3) 最大利润 $L(45) = 812.5$.

3.(1) $\dfrac{\partial C}{\partial x} = 12x - y, \dfrac{\partial C}{\partial y} = 20y - x$.

(2) 甲、乙两种产品的产量分别为 21 吨和 13 吨时总成本最小.

4. 60 台.

综合练习（二）及参考答案

一、填空题

1. 函数 $y = \dfrac{\sqrt{4-x}}{\lg(x-1)}$ 的定义域是_____.

2. 如果某商品的需求函数是 $q_d = 25 - 2p$，供给函数是 $q_s = 3p - 12$，那么该商品的市场均衡价格是_____.

3. 厂家生产某种产品的固定成本是 18 000 元，而可变成本是总收入的 40%，若厂家以每件 30 元的价格出售该产品，则生产该产品的盈亏平衡点是_____.

4. 若 $f(x) = e^x + \ln x$，则 $f'(2) = $_____.

5. $y = x(x-1)(x-2)(x-3)$，则 $y'(0) = $_____.

6. 函数 $y = 3(x-1)^2$ 的单调增加区间是_____.

7. 设二元函数 $f(x,y) = (x+y)^y$，那么 $f(x+y, xy) = $_____.

8. 某工厂生产两种不同型号的产品，当产量分别是 x、y 时，其总成本为 $C = \dfrac{3}{2}x^2 - 2xy + 3y^2$，那么总成本 C 对第一种产品的边际成本为_____；总成本 C 对第二种产品的边际成本为_____.

9. $\displaystyle\int_{-1}^{1} |2x|\, \mathrm{d}x = $_____.

10. 某产品的边际利润为 $L'(q) = 5 - \dfrac{5}{4}q$，则产量由 4 到 5 时利润的变化量为_____.

二、单项选择题

1. 设

$$f(x) = \begin{cases} x+2, & -\infty < x < 0, \\ 2^x, & 0 \leqslant x < 2, \\ (x-2)^3, & 2 \leqslant x < +\infty, \end{cases}$$

则以下各式成立的是（　）.

    (A) $f(-1) = f(0)$　　　　　(B) $f(0) = f(1)$

    (C) $f(1) = f(3)$　　　　　(D) $f(-3) = f(3)$

2. 下列各函数对中，两个函数相等的是（　）.

    (A) $f(x) = \lg x^3$，$g(x) = 3\lg x$

    (B) $f(x) = \lg x^2$，$g(x) = 2\lg x$

    (C) $f(x) = (\sqrt{x})^2$，$g(x) = x$

    (D) $f(x) = \dfrac{x^2-1}{x-1}$，$g(x) = x+1$

3. 若函数 $f(x)$ 在点 x_0 处可导，则下列结论错误的是（　）.

59

(A) 函数 $f(x)$ 在点 x_0 处有定义   (B) $\lim\limits_{x\to x_0} f(x) = A$，但 $A \neq f(x_0)$

(C) 函数 $f(x)$ 在点 x_0 处连续   (D) 函数 $f(x)$ 在点 x_0 处可微

4.需求量 q 对价格 p 的函数为 $q(p) = 100 \times 2^{-p}$，则需求弹性 E_p 等于（ ）.

(A) $p\ln2$ (B) $-p\ln2$ (C) $\ln2$ (D) $-\ln2$

5.下列结论正确的是（ ）.

(A) x_0 是 $f(x)$ 的极值点，且 $f'(x_0)$ 存在，则必有 $f'(x_0) = 0$

(B) x_0 是 $f(x)$ 的极值点，则 x_0 必是 $f(x)$ 的驻点

(C) 若 $f'(x_0) = 0$，则 x_0 必是 $f(x)$ 的极值点

(D) 使 $f'(x)$ 不存在的点 x_0，一定是 $f(x)$ 的极值点

6.设 $z = uv$，$x = u+v$，$y = u-v$，若把 z 直接表示成 x、y 的函数，则 z 等于（ ）.

(A) $\frac{1}{4}(x^2 - y^2)$ (B) $\frac{1}{4}(x-y)^2$

(C) $(x^2 - y^2)$ (D) $\frac{1}{2}(x^2 - y^2)$

7.设 $z = \frac{x}{y^2} \cdot e^y$，则 $\frac{\partial z}{\partial y}$ 等于（ ）.

(A) $\frac{1}{y^2}e^y$ (B) $\frac{x}{y^2}e^y$ (C) $-\frac{2x}{y^3}e^y$ (D) $\frac{x}{y^2}e^y - \frac{2x}{y^3}e^y$

8.某企业为销售产品需做两种广告宣传，当这两种广告宣传费分别为 x 和 y（单位为千元）时，销售收入 R（单位为千元）是

$$R = \frac{200x}{5+x} + \frac{100y}{10+y}$$

那么销售收入 R 对两种广告宣传费的边际销售收入分别为（ ）.

(A) $\frac{\partial R}{\partial x} = \frac{200}{5+x}, \frac{\partial R}{\partial y} = \frac{100}{10+y}$

(B) $\frac{\partial R}{\partial x} = \frac{200}{(5+x)^2}, \frac{\partial R}{\partial y} = \frac{100}{(10+y)^2}$

(C) $\frac{\partial R}{\partial x} = -\frac{200x}{(5+x)^2}, \frac{\partial R}{\partial y} = \frac{100y}{(10+y)^2}$

(D) $\frac{\partial R}{\partial x} = \frac{1\,000}{(5+x)^2}, \frac{\partial R}{\partial y} = \frac{1\,000}{(10+y)^2}$

9.$\int_1^2 \frac{1}{2x}dx$ 等于（ ）.

(A) $\frac{1}{4}\ln2$ (B) $\frac{1}{2}\ln2$ (C) $\frac{1}{2}\ln4$ (D) $\ln2$

10.定积分 $\int_0^1 xe^{x^2}dx$ 等于（ ）.

(A) $\frac{1}{2}(e-1)$ (B) $e-1$ (C) 1 (D) $\frac{1}{2}e$

三、案例题

1.某人现有 1 000 元人民币存入银行，已知储蓄的两年期和三年期利率分别为 2.70%、

3.24%,试求:

(1) 按两年自动转存,六年后的存款利息为多少?

(2) 按三年自动转存,六年后的存款利息为多少?

2. 设生产某种产品 x 个单位时的成本函数为 $C(x) = 100 + 0.25x^2 + 6x$(万元),求:(1) 当 $x = 10$ 时的总成本、平均成本和边际成本;

(2) 当产量 x 为多少时,平均成本最小?

3. 某工厂生产甲、乙两种产品,其销售价格分别为 10 元/件、9 元/件. 若生产甲、乙两种产品分别为 x 件、y 件时,总成本为

$$C = 400 + 2x + 3y + 0.01(3x^2 + xy + 3y^2)$$

(1) 写出生产甲、乙两种产品分别为 x 件、y 件时的总收入函数;

(2) 问甲、乙两种产品的产量各为多少时,可使总利润最大?

4. 假设某国某年的 ODL 曲线近似服从 $y = \frac{1}{2}x^2(x+1)$,试求这一年该国的基尼系数.

参考答案

一、填空题

1. $(1,2) \cup (2,4]$.

2. 7.4.

3. 1 000 件.

4. $e^2 + \frac{1}{2}$.

5. -6.

6. $(1, +\infty)$.

7. $(x + y + xy)^{xy}$.

8. $3x - 2y$; $-2x + 6y$.

9. 2.

10. $-\frac{5}{8}$.

二、单项选择题

1. (A)   2. (A)   3. (B)   4. (B)   5. (A)   6. (A)   7. (D)   8. (D)

9. (B)   10. (A)

三、案例题

1. (1)136.72 元;   (2)163.08 元.

2. (1)$C(10) = 185$,$\bar{C}(10) = 18.5$,$C'(10) = 11$;   (2) 当 $x = 20$ 时,平均成本最小.

3. (1)$R = 10x + 9y$;

(2) 甲、乙两种产品的产量分别为 120 件和 80 件时,总利润最大.

4. 0.42.

内 容 简 介

　　本书编写以应用为目的，以必需、够用为度。内容取舍适宜，叙述深入浅出。编写坚持"数学为体，经济为用"的原则，密切数学与经济生活的联系，强调数学的服务定位和工具作用，努力做到"问题为'的'，数学为'矢'，有的放矢"。全书共4章，包括：一些常见的函数、效用问题与导数方法、生产效率与偏导数、社会收入分配与积分。本书配有习题集和CAI课件，供学生课后使用。

　　本套教材可作为全国各高等继续教育本科院校、高等职业技术学院、高等专科学校、广播电视大学、成人高校和职工大学经济管理类及相近各专业的通用教材。

大学本科经济应用数学基础特色教材系列

微积分

线性代数与线性规划

概率论与数理统计

微积分学习指导

线性代数与线性规划学习指导

概率论与数理统计学习指导

21世纪高等继续教育精品教材数学系列

高等数学基础

微积分（赠习题集、CAI课件）

线性代数（赠习题集、CAI课件）

概率论与数理统计（赠习题集、CAI课件）

策划编辑 李丽虹 ／ 责任编辑 李应明　史 英 ／ 封面设计 宝隆世纪 ／ 版式设计 王坤杰

ISBN 7-300-07310-7

ISBN 7-300-07310-7/G·14

定价：25.00元

The Mechanism of
Lignite Dewatering and Binderless Briquetting
by Vibration Mechanical Thermal Expression Process

褐煤
振动热压脱水－无黏结剂成型机理

张一昕　著

中国矿业大学出版社